D0050177

HÉLOÏSE, OUILLE !

ROMANS DU MÊME AUTEUR

(tous chez Julliard)

Rainbow pour Rimbaud
L'Œil de Pâques
Balade pour un père oublié
Darling
Bord cadre
Longues peines
Les Lois de la gravité
Ô Verlaine !
Je, François Villon
Le Magasin des suicides
Le *Montespan*
Mangez-le si vous voulez
Charly 9
Fleur de tonnerre

JEAN TEULÉ

HÉLOÏSE, OUILLE !

roman

Julliard

ISBN : 978-2-260-02210-7

« Il y avait à Paris une jeune fille nommée Héloïse... »

Pierre Abélard, *Historia Calamitatum*

Paris au début du XIIe siècle
(Île de la Cité)

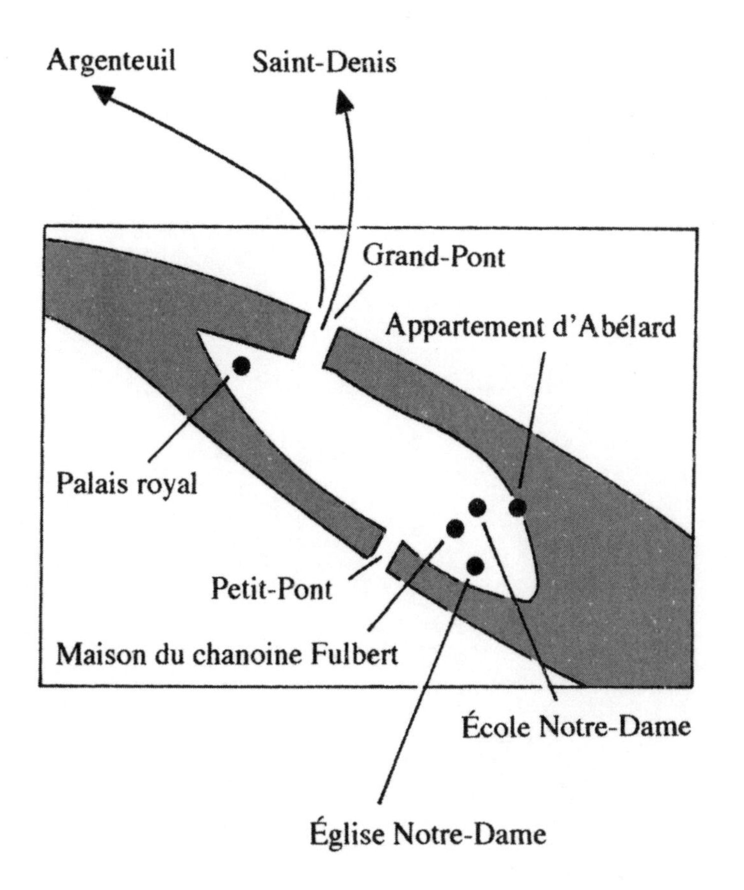

1.

Une très jolie jeune fille sort précipitamment d'une maison à colombages tout en regrettant :

— Ah, parce que je ne sais plus où j'ai rangé ma clepsydre, je vais être en retard !

Vêtue d'un bliaud de cendal écarlate à manches longues qui lui moule la poitrine et les bras, elle file devant un marchand d'oublies – ces petites gaufrettes, cuites entre deux fers, ressemblant à des hosties.

À partir du milieu des fesses, la robe en soie de la donzelle s'évase. Le bas du vêtement, couvrant les chevilles, soulève une poussière jusque sur le visage de porteurs d'eau musclés qui détournent leur regard afin de reluquer cette créature si avenante qui court par un dédale de ruelles pleines de mendiants et d'estropiés qu'elle bouscule. Ses chaussures sont comme des ballerines entre lesquelles cavalent des poules affolées et sa longue chevelure blonde vole derrière son crâne tout en cheveux – donc elle n'est pas mariée.

Le premier coup de l'angélus sonne à la petite église Notre-Dame, bientôt rejoint par les tintements du bourdon de la chapelle Saint-Étienne, indiquant qu'il est six heures de l'après-midi. Les échoppes ferment.

— Oh, là, là, déjà ?

La demoiselle à la bourre, au corps allégé, libre, et presque glorieux, aperçoit une maison forte avec des tourelles vers laquelle s'approchent également des épouses arrangeant leur coiffe – barbette, ou touret fleuri qui les chapeautent –, accentuant leur décolleté comme si elles attendaient quelqu'un. La petite porte du bâtiment sévère s'ouvre en une fente verticale qui baille. C'est alors semblable à un bourdonnement d'abeilles.

On dirait, dans l'édifice face à la blondinette, le pétillement d'un vin nouveau qui bout à l'intérieur d'un tonneau et que ça se libère. Beaucoup de cris, des sifflements. Une foule d'étudiants surgit. C'est un flot de *scolares* qui vont bramant tels des cerfs prestes et pleins d'éloges :

— Il est le plus grand du monde, le meilleur disputeur de son temps !...

— C'est le prince des études de l'univers. Qu'il fait bon aller à l'intelligence de ce Socrate des Gaules lorsqu'on est assoiffé d'apprendre !

— Il est comme une source limpide, imbattable en logique. Ah, l'originalité de sa pensée !

— Il dépouille la philosophie et la théologie de cette rude écorce qui arrête les esprits !

— En son palais, à l'autre bout de l'île, le roi Louis le Gros peut être fier de l'avoir à Paris.

La jeune fille se prend le jet chaud de leurs phrases au visage.

— Tout ce qu'il dit exprime le jaillissement d'une inspiration neuve, l'aventure d'une méthode hardie, l'ouverture d'un chemin encore non frayé!

À trois écoliers acnéiques et aux voix grêles pleines de crénoms, déclarant, dont un en latin : «Allons maintenant voir, à la pointe orientale de l'île, les folles de leur corps, les putains ribaudes», «Au service de Vénus, avec joie, il nous faut aussi s'ébattre», «*Felicitas habetur in ista et non in alia!* (Le bonheur se possède dans cette vie et pas dans une autre!)», la demoiselle à robe rouge sarrasin demande en s'essuyant la figure :

— C'est bien là, l'école Notre-Dame?

— Si fait.

— Je cherche un maître dont on m'a assuré qu'il enseignait céans, messire...

— Il est là-dedans.

Le dernier coup de l'angélus sonne. La fille franchit la porte d'une salle voûtée où des bottes de paille parallélépipédiques, alignées en rangs d'oignons, font offices de bancs. Dans un parfum d'encens et de cire, elle remarque un homme de dos et debout mais plié en deux sur sa chaire couverte de parchemins qu'il range. Elle observe son cul :

— Pierre Abélard?

Le professeur tourne la tête puis commence à se relever en pivotant vers l'intruse. Il semble avoir presque quarante ans et être particulièrement grand

– six pieds sans doute. Une cagoule sur la tête lui couvre aussi les épaules. En longue tunique rose persan avec deux sacoches de cuir – aumônières boursouflées accrochées de chaque côté de sa ceinture –, alors qu'il se redresse, encagoulé, on dirait une bite qui se met à bander au milieu d'une paire de couilles car...

... La jolie fille restée sur le seuil de la porte se trouvant à contre-jour, derrière elle en cette fin d'après-midi d'été, le rire du soleil traverse sa robe. Abélard peut ainsi découvrir la silhouette de splendides jambes entrouvertes et tout en haut entre les cuisses, comme le joli pêle-mêle d'un ballet turc, le contour des poils bouclés d'une toison pubienne bombée.

2.

— Maître Abélard, en ce lendemain de la Saint-Jean 1118, j'ai demandé à ma nièce Héloïse d'aller vous quérir car j'aimerais que vous lui donniez des cours particuliers. Je veux, pour la fille naturelle de ma sœur Hersende qui fut rappelée à Dieu durant la naissance de sa petite, le précepteur le plus réputé de toute la chrétienté dont on dit qu'il deviendra peut-être archevêque ou pape !... Enfant sortie brillante élève du couvent des bénédictines d'Argenteuil où elle a appris la lecture et la grammaire, je désire que maintenant qu'elle habite avec moi en ce presbytère, à dix-huit ans, elle se perfectionne dans les langues grecque et hébraïque, la philosophie et l'astronomie. Elle adore l'astronomie...

À l'intérieur du salon sombre de son oncle au plafond bas soutenu par des poutres de chêne foncé et allant dans un bruissement de tissu sur des tomettes couvertes d'hysope, de mélisse et de menthe fraîche – herbes à joncher qui se fanent au sol –, Héloïse, dorénavant vêtue d'une cottardie à large décolleté et fentes latérales, cherche quelque chose :

— Où l'ai-je rangée ?

Abélard, assis sur un banc, parcourt du regard le logis de l'ecclésiastique qui, chapelet entre les doigts, lui a formulé sa requête du fond de son grand fauteuil à dos sculpté. Un escalier à vis aux pierres disjointes doit mener aux chambres de l'étage. Derrière les vitraux d'une fenêtre étroite au mur d'en face, le maître remarque qu'au loin un sable d'or commence à baigner les tours du palais royal. Le gros prélat âgé, bras sur le côté, tisonne un feu. Les bûches de résineux projettent dans la cheminée des petites explosions d'essence. Héloïse apporte deux gros cierges de cire vierge puis, prenant un brin de romarin incandescent, elle allume leur mèche tout en cherchant autour d'elle dans la demeure soudain devenue plus claire :

— Qu'est-ce que j'ai bien pu en faire ?

Abélard se racle la gorge et regrette :

— Chanoine Fulbert, puisque j'enseigne déjà à l'école Notre-Dame, je ne vais pas pouvoir.

— Vous lui donneriez des cours du soir et même de nuit.

— Mais pour rentrer chez moi après le couvre-feu ?

— Vous logeriez ici. Les soins d'entretien d'une demeure devant être pour vous, j'imagine, une importune diversion aux études et aux lettres – votre passion dominante –, vous seriez déchargé de ces embarras de l'esprit.

— J'ai déjà un valet fidèle du nom de Malaperte. Je fais avec même si je ne sais jamais trop où il vagabonde celui-là, toujours envolé !

— C'est parce que vous n'êtes pas assez strict. Moi, ma filleule, si vous la trouviez en faute, je vous octroierais la permission de la châtier sévèrement. Vous pourriez la frapper si elle manquait d'obéissance ou d'aptitude à retenir vos leçons.

La cottardie d'Héloïse, qui se penche pour servir à Abélard un vin herbé au miel dans un gobelet d'étain, révèle la pointe de ses seins. Le maître de l'école Notre-Dame repousse un peu sur la table le récipient à boire dont il a senti les effluves.

— Ça ne vous tente pas? s'étonne la filleule du chanoine.

— Je ne suis pas friand du gingembre.

— C'est dommage.

— Je fais avec...

Fulbert, être entier sans nuances au visage comme un groin de pourceau de saint Antoine et autour de la tonsure des cheveux crépus, fait clignoter ses yeux de poule aux paupières bombées :

— C'est important d'être intraitable dans la vie... Vous, quand vous étiez scolare, vos professeurs de théologie ont dû l'être avec vous aussi. Ils ont certainement maté, avec leur bâton de maître, l'élève que vous étiez, tous ces Guillaume de Champeaux, Roscelin à Loches, Anselme...

— Pff, Anselme!... lève les yeux aux poutres Abélard. Il doit sa renommée plus à une longue pratique qu'à son intelligence. Quand il allume un feu, il remplit sa maison de fumée au lieu de l'illuminer. Un jour, en cours, je lui avais demandé : « Maître

Anselme, pour Adam et Ève, avoir mangé la pomme fut donc un si grand péché ? » « Si grand que le monde entier ne saurait suffire à l'expier », m'a-t-il répondu. « Prouvez-le ! » ai-je répliqué. Il eut un silence puis, plutôt que d'argumenter, il m'a chassé de son école de Laon alors que moi j'étais déjà convaincu que poser des questions était la première clé de la sagesse. J'aime que mes élèves aient le sens de la repartie.

— Je vous concède volontiers ceci même si en l'occurrence... l'affaire de la pomme, hum, hum, c'était franchement osé, tousse le gros prélat dont la croix pectorale rebondit sur sa bedaine.

— Mes anciens maîtres, aujourd'hui, reprend Abélard, me haïssent d'une haine de dieu mais je fais avec. Ils me bercent sur des lits de noyaux de pêche. Ce sont des gens sérieux qui passent ma substance au tamis d'autant plus qu'ils ont tous vu leurs élèves les abandonner pour venir, maintenant, assister à mes leçons. Je pense qu'ils regrettent aussi l'écolâtre, le bénéfice que verse chaque scolare à la fin du cours...

— On dit que vous gagnez beaucoup d'argent dans l'école Notre-Dame. Avec moi, logeant ici, vos leçons seraient gratuites.

— Ah, en plus, sans bourse délier ? Peut-on rêver plus heureux accommodement ? apprécie moyennement le précepteur.

Soudain Héloïse, soulevant le couvercle d'un coffre, s'exclame :

— Oh, ben en tout cas, j'ai récupéré ma clepsydre ! Elle était ici, l'horloge à eau. Et aussi, juste à côté, cet autre objet que je ne pensais jamais dénicher ce soir... Ah, mais comment ai-je pu le ranger là, lui?

Elle s'en amuse d'un grand rire qui la secoue de la tête aux pieds. Son parrain, tel Zeus, d'un pli des sourcils la réprimande :

— Héloïse, cesse de t'esclaffer ainsi. Une jeune fille ne doit pas se montrer trop gaie ni causante ou gourmande.

Ce chanoine réfractaire, moraliste, ne plaisante pas, lui :

— C'est un acte pervers inspiré par le diable. Jésus n'a jamais ri de sa vie.

— On voit où ça l'a mené..., murmure la nièce passant près d'Abélard qui en ouvre de grands yeux stupéfaits du genre : «Elle est gonflée, celle-là!»

À trente-huit ans passés, le célèbre professeur de l'île de la Cité observe avec plus d'attention cette adolescente qui sait aussi parfaitement faire onduler son corps lorsqu'elle va mettre une nouvelle bûche dans la cheminée. Se penchant, la filleule, qui trouve à Abélard un regard vif dont l'élégance conserve encore l'éclat de la jeunesse, connaît les endroits où sa cottardie bâille – espaces d'élection pour la vision des hommes dont s'offusque aussi son oncle :

— Héloïse, ferme les fichets que tu as oublié de lacer. On voit ta peau par ces fenêtres des enfers! Ne vaudrait-il pas mieux pour toi un grain de lèpre sur le front et un autre au bout du nez? Ah, les filles... Maître Abélard, si j'ai porté mon choix sur vous c'est aussi parce que je sais que vous ne fréquentez guère la société des femmes, trop occupé à la préparation laborieuse de vos leçons.

— Moi, les jeux de Cupidon ? Je ne vais pas souvent jouer à la cour de Vénus, confirme Abélard.

— *Non ludit sepius in aula Veneris ?* s'étonne Héloïse.

— Exactement. Ah, mais vous vous débrouillez bien en latin, mademoiselle !

— Oui, se dilate d'orgueil le chanoine. Elle ne commet guère d'erreurs de grammaire, construction, ni de vocabulaire. Vous verrez qu'elle est véritablement douée en langues.

Le professeur qui admire le front élevé de la filleule où plane l'intelligence, tandis qu'elle arrange sa longue chevelure blonde tressée, poursuit à propos de sa quasi-chasteté de pape potentiel :

— Je ne crains pas les aboiements de Scylla, je ris du gouffre de Charybde, je ne redoute aucun chant mortel de sirène. Vienne la tempête, je n'en serai pas ébranlé, les vents de la tentation pourraient souffler sans que je m'émeuve. Je suis fondé sur la pierre ferme. Je fais avec mais maintenant je dois vous laisser, chanoine, car voilà déjà la nuit...

Fulbert se retourne vers le vitrail de sa fenêtre et constate qu'effectivement le soleil couchant s'effondre là-bas dans l'or des tourelles du palais royal de Louis VI et que l'heure du couvre-feu approche :

— Bon, en tout cas, réfléchissez, maître. Si je l'encourage à se cultiver, c'est dans son intérêt, même si cela semblera à d'aucuns un peu trop progressiste mais, moi, je serais capable de tout pour elle !... Pauvre orpheline, après une triste enfance passée entre les rigoureux murs d'un couvent, je voudrais qu'à présent elle connaisse une belle vie de femme. Allez, ma nièce, raccompagne le précepteur sur le seuil.

Sorti du presbytère qui fait face à une ruelle vide menant vers l'église Notre-Dame dont on voit la façade, Abélard se retourne vers Héloïse restée dans l'encadrement de la porte :

— Il est vrai qu'une fille qui poursuivrait ses études ne serait pas chose courante en ce temps où le savoir ne trouve jamais de prise dans le sexe féminin...

— Oui, mais je sais que cela est mal vu, déplore la filleule aux formes d'une rare perfection, et de toute façon je ne m'estime guère plus qu'un gant.

— Ce n'est pas ma coutume, rétorque le maître de l'école Notre-Dame, de suivre l'usage, mais plutôt d'obéir à mon esprit. Je fais avec !

En ce deuxième jour d'été 1118 à Paris, la nuit venant, l'air est encore frisquet comme au printemps et une bise file par les venelles. La soie de la cottardie roule en courts frissons sur la peau de la nièce semblant innocente encore même d'une caresse. Du cou jusqu'à la pointe de son décolleté entre les seins, ce qu'Abélard voit de sa poitrine est plus immaculé que la neige fraîchement tombée :

— J'ai surtout entendu votre oncle mais vous, aimeriez-vous m'avoir pour précepteur désigné ?

Les dents d'Héloïse étincellent, blanches sous le ciel étoilé qu'elle contemple. Menton légèrement creusé au milieu tel que par le doigt de la réflexion qui se pose sous ses belles lèvres, elle répond, mimant un air fataliste :

— Je ferai avec.

Beau joueur, le maître sourit de l'entendre oser se moquer de son tic de langage, la trouve amusante en diable.

— Rentrez, mademoiselle. Vous allez finir par prendre froid.

Comme pour la réchauffer, il pose sa main droite d'homme sur l'épaule gauche et arrondie de l'orpheline et glisse sa paume à la manière d'un foulard le long du bras d'Héloïse jusqu'à effleurer ses ongles fins.

En s'éloignant du presbytère, il ressent encore, telle une rémanence têtue, une vibration qui perdure au bout des doigts. Parce que le vent de la ruelle, lui faisant face, plaque contre son corps les plis de sa tunique qui se tend en un endroit, on devine qu'il bande et que ça lui pétille dans les couilles.

3.

Toc, toc !

Après avoir cogné deux fois de l'articulation d'un index, quand il pénètre dans la chambre d'Héloïse, Abélard se baisse pour passer la porte. Tunique bleue décorée d'étoiles sous un long manteau de drap olive retenu à l'épaule par un fermoir d'argent, il se relève, l'embrasure franchie, tout en mâchant du jasmin afin d'aromatiser son haleine.

Assise devant un pupitre où trône un manuscrit ouvert, la nièce du chanoine, en robe rouge traînant à terre, attendait le maître qui vient vers elle et pose directement ses lèvres sur les siennes en un baiser fleuri et furtif :

— Bonjour, Héloïse !

La filleule, quoique surprise par cette audace tranquille, n'en paraît pas choquée. Le précepteur jette son manteau sur le lit :

— Nous sommes donc voisins de chambre maintenant.

Aujourd'hui, crâne enveloppé d'une cagoule noire, il jauge, soupèse, estime en un regard sa nouvelle élève puis se balade dans la pièce aux murs tendus de tapisseries illustrant des scènes mythologiques. À une fenêtre donnant sur la ruelle qui mène à l'église Notre-Dame, des feuilles de parchemin translucides, parce que huilées, font office de carreaux tandis qu'en face, deux vitraux, représentant une sainte et un saint, diffusent une lumière à la fois intime et intimidante.

— Mh...

Abélard se racle la gorge. Au sol, une carte en mosaïque de la terre et des mers l'étonne.

— C'est un cadeau de mon oncle. Je crois qu'il m'aime trop, commente Héloïse.

Des appareils métalliques, un astrolabe, jonchent le curieux carrelage. La filleule, à celui dont elle semble trouver une allure noble, explique :

— Depuis un peu plus d'une année que je loge chez mon parrain, les nuits sans nuages, j'observe le cours et la disposition des astres grâce à divers instruments qu'il m'a aussi offerts. On prétend que les étoiles sont maintenues en place contre d'immenses sphères transparentes qui font entendre des musiques en évoluant autour de l'Univers. Pensez-vous que ce soit vrai, maître ?

— Nous parlerons d'astronomie et de révolutions célestes plus tard. Pour l'instant j'aimerais commencer par évaluer le niveau de vos connaissances actuelles.

— Ma formation au couvent d'Argenteuil, relate la jeune blonde à la voix douce, se résume aux psaumes, à l'Écriture sainte et à quelques auteurs profanes comme Ovide et Sénèque si peu abordés.

Sous des sourcils foncés, elle dit cela en laissant entrevoir le bout de sa petite langue rose. Elle a un ravissant nez droit tel que les sculpteurs antiques en taillaient dans leurs statues de femmes immortalisées. Revenant vers elle par le côté, le précepteur peut admirer la souplesse des reins de cette créature instinctive et sensuelle qui se cambre.

— Héloïse, mon enseignement sera une progression dans la difficulté. Je débuterai en vérifiant votre grammaire, vous perfectionnerai si nécessaire dans le latin élémentaire, puis nous passerons à la rhétorique : la composition en prose et en vers, avant d'arriver au sommet : la dialectique ou structure du langage. Donc, ce sera « source de grammaire », « pont de rhétorique », et « montagne de logique ». En latin, cela se prononce...

— *Grammaticae fons, rhetoricae pons, ac logicae mons...* poursuit la scolare qui laisse les doigts du précepteur effleurer les siens posés sur le parchemin d'un manuscrit embelli de couleurs et de feuilles de métaux précieux plaquées.

— Oh, vous savez déjà tout ça à dix-huit ans ? Je ne vous pensais pas aussi experte. Seriez-vous non seulement la fille la plus jolie, mais également la plus savante de France ? sourit le bientôt quadragénaire.

La main trop caressante d'Abélard remonte le long du bras de la filleule de Fulbert, lui masse une épaule et se perd sous la chevelure ondoyante qu'il empoigne doucement alors la nuque d'Héloïse bascule en arrière. L'élève qui paraît si sensible au charme, à la voix grave de cet homme, contemple aussi ses yeux très bleus. Cependant le maître dérouté par la scolare se ressaisit, retire brutalement sa pogne pour la croiser, crispée, avec l'autre dans son dos professoral qui se redresse :

— Afin que je découvre votre écriture, prenez ce *pugillare* destiné aux exercices et un *stylus*.

— Bon, mon stylet en os de volaille, s'interroge Héloïse, où est-il passé, lui ?

Elle cherche dans une boîte puis une autre et finalement le découvre dans la corne de vache excavée qui sert de réservoir d'encre, heureusement vide, fixée à droite du pupitre :

— Évidemment, je n'aurais pas cru l'avoir rangé là. Des fois, c'est assez surprenant.

— Ça y est ? s'impatiente en souriant le précepteur qui assiste à la scène. Choisissez un verbe à conjuguer.

La nièce du chanoine, sur une planchette d'ivoire portable enduite d'une fine couche de cire blanche, commence à inciser la pellicule molle à l'aide de l'extrémité taillée en pointe d'un os de poulet qui laisse ainsi apparaître le fond noir de la tablette. Creusant une première lettre bien dessinée, consciente du trouble qui règne dans sa chambre, elle propose :

— Le verbe « Aimer » par exemple. *Amo, amas...* J'aime, tu aimes... Est-ce que je poursuis à la troisième personne ?

— Non, ce sera suffisant! Je ferai avec, déclare Abélard.

Tandis que la scolare, après avoir retourné l'os de volaille du côté de la tête arrondie de l'articulation, se met à lisser la cire pour pouvoir récrire au même endroit, le précepteur lui soulève la main :

— N'effacez pas ça! Sinon, vous prononcez le latin sans doute comme à Argenteuil plutôt qu'à la romaine...

Se penchant sur la gauche de la demoiselle dont il retient toujours en l'air la main qui écrivait, il approche son visage du sien et introduit une demi-phalange de pouce entre les lèvres d'Héloïse qu'il écarte au bord d'une commissure :

— Il faut bien ouvrir la bouche lorsqu'on dit le « A » d'*Amo*, j'aime...

— *A...mo*, répète l'élève en sentant contre sa langue le pouce doux du maître qui le retire pour lui frôler la gorge pendant que ses lèvres s'approchent des siennes puis restent là, en suspension, si près. Les mains s'effleurent. Les peaux se touchent. Les souffles se mêlent. Et dans la chambre, ce ne sont plus des paroles mais des soupirs qu'on peut entendre.

— Ouh, là, là!

Abélard, cherchant de l'air, se relève et va s'asseoir derrière la nièce sur un coffre en bois peint. La scolare, sur le petit banc de son pupitre, pivote vers lui qui tente d'enseigner :

— Bon, en ce qui concerne Ovide et Sénèque...

— Puis-je venir près de vous? l'interrompt Héloïse.

À peine assise, jambes croisées à côté du précepteur, celui-ci, pris soudain d'une volupté bestiale et irrationnelle, lui attrape une main qu'il plaque directement sur son vit puis, se tournant, il enlace la filleule de Fulbert dont il caresse le dos, la taille et le ventre. Elle a retiré sa main alors que lui tente sans succès de glisser ses doigts d'homme tout en haut entre les jambes maintenues trop serrées de la scolare. Ô ce jeu avec le feu et la nièce du chanoine! Le précepteur affolé par l'élève d'Argenteuil, dans un mélange de désir érotique et d'inquiétude, se lève n'étant plus que l'ombre d'un grand nom et se disant : «Putain, le trône de saint Pierre s'éloigne!» Il marche à grands pas, les mains dans le dos. Il sillonne en tous sens la chambre, reste soudain recueilli et immobile puis demande à Héloïse :

— On se revoit quand?

— Si cela vous est possible demain, après que la cloche des exercices aura sonné tierce et que je serai revenue des étuves publiques où je me baigne chaque mercredi.

Sans doute parce qu'il est d'abord passé par sa nouvelle chambre sise contre celle d'Héloïse, Abélard fuit le presbytère, encombré de livres et de notes. Devant le pignon du bâtiment à colombages, son logeur, accroupi en plein jardinage, plante de la sauge et du cerfeuil près d'un voisin bourgeois debout, coiffé d'un chaperon et qui annonce :

— Tiens, chanoine, votre nouveau locataire s'en va !

Fulbert se relève :

— C'est parce que ce doit être bientôt l'heure de ses cours à l'école Notre-Dame.

Tous deux l'observent pendant que des étudiants, l'apercevant au loin, s'écrient :

— Voici que vient notre maître !

Découvrant les scolares fascinés par le magnétisme d'Abélard, le chanoine commente d'un air satisfait :

— Ah, ces élèves bretons, anglais, gascons, ibères, normands, flamands, teutons, suèves, et même ceux que Rome lui envoie à instruire, aucune distance, haute montagne, vallée profonde, chemin difficile, ne les découragerait de se hâter vers lui.

— Et il loge donc maintenant chez vous, Fulbert ?

— Même s'il a conservé son appartement en bord de Seine où il dort encore pour quelques nuits, je peux dire que oui. Cela a le double avantage d'illustrer mon nom avec le premier homme du siècle et d'achever sans frais l'éducation de ma nièce qui, rapprochée ainsi de l'oracle du temps, puisera toute vertu et toute science à sa source.

— Voici le maître ! reprennent les élèves.

Tandis qu'il passe entre des échoppes vendant des étoffes venues de Perse et des épices importées d'Orient, la foule des ruelles, friande de le contempler, s'arrête à son passage. Pour l'admirer, les habitants des maisons descendent sur le seuil de leur porte et les femmes écartent leur rideau. Ces visages féminins tellement fardés en son honneur de jaunes d'œufs, d'onguents aux multiples coloris, de céruse, d'eau de vigne, sont prêts à fondre au soleil alors qu'Abélard, tombeur de ces dames, râle après lui-même :

— *Jesu bone, ubi eras ?* (Ô bon Jésus, où es-tu ?) Moi, enflammé par cette scolare ? Le plus grand des philosophes à la merci d'une fille...

Ce logicien découvre que quelque chose existe qui désarme la logique. Il est amoureux.

— J'ai la *chemise Bertrand !* (Je me fais avoir !)

L'empressement curieux de la multitude se range pour lui faire place comme chaque fois qu'il se rend à ses leçons ou en revient pendant que, chaussé de pigaches à bout pointu et légèrement recourbées, il chemine d'un pas traînard. Homme incendié par la luxure, il ne sait plus de quel côté se diriger, prend par erreur la rue de la Vieille-Juiverie puis se retourne vers l'école pour reconquérir ses étudiants admiratifs. En errant, individu sans salut, mauvais chrétien dont l'âme est en péril, le doute l'environne et la peur circule autour de lui :

— Il ne faut pas ! Va-t'en te briser, vorace envie !

Devant le pignon du presbytère, le bourgeois à chaperon est épaté :

— Vous allez donc avoir, chanoine, tous les jours chez vous l'orateur le plus écouté et le plus populaire des écoles, celui pour qui les dames mettent en avant leurs atours...

— Oui, je lui ai fait préparer, contre celle d'Héloïse, une chambre communicante.

— Communicante ?...

4.

— Relevez un peu le bas de votre robe qui traîne trop sur la terre et les mers du carrelage de cette chambre, Héloïse, mais uniquement si vous en êtes d'accord, bien sûr... Oui, voilà. Que vous avez de jolis petits pieds nus aux orteils gracieusement alignés. Remonter encore ce vêtement serait possible ? Ah, la finesse de vos chevilles... Moi, restant assis et penché en avant, coudes aux genoux et joues entre les paumes, devant vous, fesses posées au bord du lit, avec votre permission évidemment, pourrais-je voir vos mollets ? Non, pas à moitié, entièrement. Ah, ces ensorceleurs délicatement galbés à la peau frissonnante semblant si douce. Et vos genoux, comment sont-ils vos genoux ? Accepteriez-vous de les montrer à votre nouveau précepteur ? Oh, mais les voici, adorables également. Le spectacle de ces jambes sagement serrées l'une contre l'autre est à s'en mordre les doigts. Accepteriez-vous de les écarter un peu ? Non, pas encore ? Alors peut-être qu'en revanche et seulement s'il vous sied comme il se doit, m'offrirez-vous la découverte de l'amorce de vos cuisses. Oh, elles s'étirent, tendues et fuselées, pareilles à celles d'une grenouille. Puis-je en voir un peu plus ? Ah oui, rainette vraiment que vous êtes ! Quoi, vous me regardez d'un œil interrogateur. Ce que je cherche ? En stratège, je manœuvre un camp retranché dont je rêve d'investir la place pour m'en rendre maître. Écartez vos cuisses ! Ou levez-vous et giflez-moi avant d'aller avertir votre oncle ! Regardez, quand vous desserrez les jambes, le tissu de la robe remonte tout seul vers le ventre. Desserrez-les davantage. Allez, petite orpheline à la vertu incertaine née à la bascule du siècle, si ce jeu vous amuse, osez faire tomber les derniers obstacles de la pudeur devant le vieux barbon que je deviens. Basculez le dos en arrière pour vous accouder sur les coussins aux tons acidulés. Allez, mon Héloïse, putain de Babylone. Tu es la tendre brebis offerte à un loup affamé. Jeune fille menue et svelte, séduisante avec sa peau blanche et rosée par endroits, ses yeux rieurs sous son front lisse, pas l'ombre d'un sentiment dans ce que je te demande. Que le désir ! Accepterais-tu de me laisser découvrir s'il y a du cresson à ta cressonnière ? Par ma foi, diras-tu, c'est une jolie question formulée bien opportunément ! Mais je voudrais voir se craqueler ta prune où suinte déjà peut-être un jus doré tel le sucre des abeilles. Oui, voilà... Une chance que la gent féminine de ce temps ne porte jamais de braies sous la robe. Regarde, maintenant je vais entre tes jambes comme à l'appel de la Terre sainte. J'approche de ce qui ressemble aussi à un coquillage, mon Saint-Jacques-de-Compostelle.

Mes lèvres te disent au bord des poils : «Mon Dieu! *Jesu bone*, tu es là!» Sens-tu ma respiration? Je reste à genoux, un peu tremblant et incrédule tel un homme qui a des visions. Héloïje, j'aime 'e goût de fleur de 'on 'exe!

Abélard articule mal car il a plongé sa bouche dans un fouillis sombre fendu par l'éclat d'une longue lueur rose où il lance de haut en bas sa langue. Et ça n'en finit pas. De par la fenêtre, il entend d'abord le clapotis de l'eau contre les rives de l'île de la Cité puis l'incessant mouvement de batellerie sur la Seine, l'agitation au port Saint-Landry du va-et-vient sans fin des rames de barques chargées de marchandises diverses où des commerçants, attirés par la grève, accostent aisément. Emportement de la passion, vertige, fièvre et félicité! À la jointure des cuisses de sa scolare rendue à merci, le maître actuel le plus écouté au monde, qui exerce sur la jeunesse une influence, ne veut vraiment plus d'autres paradis que cet endroit aux senteurs de vétiver dont s'est fait oindre l'élève revenue des étuves publiques. En son sexe crémé au lait d'ânesse et arrosé d'essence, il laisse sa bouche errante et s'abîmant à l'aventure en quête d'ombre et de goût et d'un travail charmant où il s'attarde en un long stage pour des dévotions. Aussi affairé qu'un merle dans un jardin, il s'excite à vouloir honorer la poupée, la rosée, le doux con d'Héloïse. Il lui fait moult petites bichoteries où elle prend grand plaisir en murmurant : «Langue magique» puis, sainte auréolée, elle jouit en s'arc-boutant!

Sur la table de nuit, le sablier d'une durée d'une heure, renversé dès l'arrivée du maître afin qu'il ne soit pas en retard à l'école Notre-Dame, écoule ses grains dans le bulbe du dessous et Abélard s'allonge sur le dos à droite d'Héloïse.

Cheveux lâchés aux épaules, front cerné par un bandeau orné de perles, celle-ci pivote vers le bientôt quadragénaire qui découvre pendant qu'elle lui défait sa ceinture d'argent la douceur de ses mains. Elle remonte la tunique du maître le long d'interminables jambes telle qu'en quête de spectacles et de nouveautés comme s'il était montreur d'animal savant. Et, coutil du vêtement rabattu contre la taille de l'homme, dans l'ivresse d'une découverte, elle plonge sa bouche gourmande. Son long cou flexible balance. Il porte sa tête ainsi que le lotus porte la fleur en ondoyant avec la vague. Elle entend dans une éclaboussure de la Seine qu'un corps nu, lancé du Petit-Pont, s'y est coulé entièrement puis nage en des clapotis. Abélard gémit sous la courtine du ciel de lit piqueté d'étoiles. Héloïse l'amène où elle veut, sait comment, grâce à sa langue tournoyante, le faire chanter plus grave ou plus aigu. Elle l'écoute avec déférence puis, avide, déchaîne les sens de son précepteur. Tout halète alors, tout n'est qu'effort et mouvement. Elle a dans le don quelque chose de pur, d'absolu, de presque violent qui élève Abélard à des joies. Au port Saint-Landry, les commerçants méditerranéens débatellent les marchandises de leurs navires et le maître décharge en la bouche de la scolare tandis que des foudroiements lui secouent le corps par saccades.

Nuque aux oreillers parfumés à la violette, alors que le bulbe inférieur du sablier continue de s'emplir, le précepteur reprend son souffle en s'étonnant :

— J'ignorais que tu savais faire cela qu'on ne doit guère apprendre au couvent d'Argenteuil...

— C'est la première fois, déglutit Héloïse.

Dans sa fierté de mâle, il en est heureux mais elle ajoute :

— Avant, ça n'entrait jamais dans ma bouche. Par exemple, le dernier, un jeune jongleur rencontré en allant aux étuves, ses deux génitoires étaient aussi gros que les boules de couleur qu'il lançait en l'air. Cet étalon relevait très haut la tête. Son membre ressemblait au rayon d'une roue de char dont j'ai seulement pu sucer le bout du gland.

Déception... Abélard, humilié, débande bien qu'Héloïse justifie :

— C'est parce que j'ai une petite bouche.

— Tu n'as pas une petite bouche, grogne le précepteur en se tournant dans le désordre des couvertures fourrées et des draps froissés où, fataliste se prétendant philosophe, il caresse la poitrine de son élève qu'un bandeau de toile maintient à sa surprise.

— J'ajoute des petits sacs sous mes seins pour en augmenter le volume car je ne les juge pas assez développés comme raffolent les hommes, sourit gentiment la demoiselle consolante.

Ils écoutent, provenant du sud de l'île de la Cité, des chocs ferrés de sabots à Saint-Denis-du-Pas, nommé ainsi parce qu'un gué permet d'y traverser la Seine à cheval, et la scolare questionne le maître :

— Pourquoi t'appelle-t-on Abélard ?

— À l'est de Vannes, j'étais un enfant obèse dont on se moquait en l'appelant « Gros Lard ». Gros lard, Abélard... Heureusement qu'en grandissant ça m'est passé mais le sobriquet est resté.

— Te voilà mince, maintenant.

— Sauf du ventre. Je considère que j'ai encore trop de ventre, se désole le précepteur en poussant sa tunique pour le cacher, alors que j'aurais préféré être gros d'ailleurs, petite gourgandine friande de queues anormales.

L'étudiante sourit :

— Tu es donc celte ?

— Je suis né au bord de la Bretagne, région barbare dont je ne lis ni ne parle la langue.

Il contemple les étoiles du ciel de lit.

— Dans notre manoir du Pallet à côté duquel vit encore ma sœur, moi, premier-né de la fratrie, mon père prit soin de me former avec d'autant plus d'attentions qu'il me chérissait davantage. Mes progrès et mes facilités dans l'étude des lettres augmentèrent mon ardeur pour cette matière. J'y fus si attaché que j'ai vite abandonné à mes frères, Raoul et Dagobert, la pompe de la gloire militaire avec l'héritage et les prérogatives du droit d'aînesse.

Héloïse, silencieuse, vient se lover contre Abélard qui, du bras gauche, l'enlace en poursuivant :

— J'ai préféré la discipline des disciplines : la dialectique nommée aussi « l'art de raisonner ». J'ai voulu devenir ce disputeur qu'on dit fameux et qui attire en foule des élèves plutôt que de porter les armes. J'ai pensé que la tunique de maître m'irait mieux que la cotte de mailles. C'est une affaire de style.

— Moi, c'est sans habit du tout que je te préfère, plaisante Héloïse, glissant une main sous la robe d'Abélard et se mettant à le branler doucement.

— J'ai quitté le manoir familial quand mon père a décidé de terminer son existence dans un cloître, raconte le masturbé. Ma mère, ainsi que la loi l'exige, s'est donc également retirée dans un couvent après que son époux eut prononcé les vœux monastiques. Ce fut pour eux deux l'occasion de se préparer à l'au-delà et pour moi celle d'aller vivre ma vie. J'ai fait avec. Ouh, mais quoi, s'étonne soudain le précepteur ayant tourné la tête vers la table de chevet, le bulbe supérieur du sablier s'est déjà entièrement vidé ? Ce n'est pas possible, ça ! Les grains qui l'emplissent doivent être trop fins. Soit le temps s'accélère en ta compagnie et je vais être en retard à l'école, soit il est mal réglé, conclut-il, se levant précipitamment.

Héloïse, qui en fait de même, se souvient :

— J'ai aussi une bougie-horloge dont les graduations gravées dans la cire donnent sans doute une indication plus précise du temps écoulé mais ne sais plus où je l'ai rangée.

Elle redescend le bas de sa robe jusqu'au carrelage face à Abélard qui baisse sa tunique puis les deux s'enlacent. Mains baladeuses de l'un et l'autre contre les fesses et entre les jambes, le précepteur remonte à nouveau la robe de la scolare :

— Retourne-toi, félonesse moult amère, bossue laide et hideuse !

De dos, Héloïse se penche un peu, bras tendus et paumes plaquées à même les draps, maladroite et embarrassée, ne sachant comment s'installer. Elle se retrouve à genoux au bord du lit. Lui, resté debout, la saisit par les hanches :

— Et tes crétins d'amants montés comme des poulains, ribaude, ils y entraient, là, tes jeunes amants ? Ce sentier a-t-il déjà été frayé par eux ?

— Ah oui, là, ça rentrait.

Il pousse la soie jusqu'aux épaules de la fille dont il contemple le dos, la taille fine, le joli cul, et la baise en regardant sa bite coulisser en elle. Il la hurtebille à la sauvage. Ramoneur, le précepteur housse le conduit de sa ravissante élève. La chatte en haut, la tête en bas, parce que s'étant ensuite posée sur les coudes puis les épaules, en toute honnêteté et sans rien d'infâme, la scolare écoute le maître dire pour toute prière à voix basse :

— Dieu s'est introduit dans mes génitoires.

Il polissonne la bagasse, bélute la donzelle. La doulce élève semble apprécier que son professeur la besogne et que, soudain, il éjacule au fond d'elle. Il redescend sa tunique. Elle, à nouveau debout, en fait autant. Elle sent le sperme couler le long de ses cuisses et ils sortent en riant de la chambre :

— Oh, ben ça, précepteur, je ne m'y attendais pas !

— Moi non plus. À ce soir après mon cours...

Ils ont trompé, sans remords et sous son propre toit, la confiance du chanoine qu'Abélard croise au rez-de-chaussée de la demeure en se dirigeant vers la porte extérieure qu'il ouvre sur la ruelle.

— Ça se passe bien avec ma nièce, maître ? Vous en êtes satisfait ?

— Ah oui, vraiment ! Elle me paraît être une élève très douée. Même un peu trop à mon goût...

— Comment ça, un peu trop ? s'étonne Fulbert. Pourquoi a-t-il dit ça ? demande le parrain à sa filleule qui arrive au bas des pierres usées de l'escalier à vis.

— Je n'en sais rien, mon oncle.

5.

— Ouiii, oh, Pierre !...

Pierre Abélard reste allongé nu sur le dos tandis qu'Héloïse déshabillée également et qui le chevauchait en appui sur ses genoux, talons de chaque côté des fesses, se retire, le cœur battant, pour s'installer au creux d'un bras du maître qui glisse une main entre les petits seins de son élève à la peau sèche.

La nuit tarde à venir les soirs d'été et recule l'heure du couvre-feu. Sur le lit de chêne carré aux draps de toile fine, les deux amants entendent proférer dans la ruelle des obscénités de scolares, chanteurs de saletés, qui font encore du bruit avec des chaudrons et des crécelles. Ces étudiants ont après l'école délaissé les livres pour, en folastres, s'en aller vivre leur jeunesse :

> — *Voto nostro serviamus,*
> *Mos est iste juvenum ;*
> *Ad plateas descendamus*
> *Et culus virginum !*
> (— À nos désirs il fallait se rendre,
> C'est l'usage des jeunes gens ;
> Descendre vers les places
> Et les culs des filles !)

Ils reviennent effectivement de visiter des folles de leur corps, refoulées à l'extrémité de l'Île, qui vendent amourette en gros et en détail, notamment dans une taverne nommée *Ici on est mieux qu'à l'église* où comme dans une forge la chaleur pousse aussi à boire. Leurs malins plaisirs les ont guidés en ce lieu de ribaudaille et maintenant, sous un ciel assombri déchiqueté par les tours et les flèches romanes des chapelles de la ville, ils rentrent ivres chez eux à la recherche d'encore quelques bêtises à accomplir, sottises à lancer :

— Les cocus avec nous !

Ils s'arrêtent devant le presbytère pour s'y livrer à un concours de retentissantes incongruités intestinales et c'est alors qu'Héloïse et Abélard comprennent que Fulbert est sorti sur le pas de la porte car sa voix tonne dehors à l'encontre des malpolis :

— *Histrios turpis et simplex* que vous êtes ! Odieux fornicateurs !

En chaste chanoine qui aurait eu une mère malgré lui, il poursuit :

— Vous vous comportez de façon plus impudente et exécrable que les Sarrasins et les Juifs ! Filez ou je vous assomme à coups de la Sainte Croix !

— Oh, là, là, grogne un scolare, c'est bien la peine qu'on ait fait une halte devant la demeure de celui-là...

— Grattez les couilles du vilain, il vous chiera dans la paume ! rote un autre.

Et, titubant, ils s'éloignent en se confiant à tue-tête de supposés exploits récents :

— Par le cœur de Dieu, j'ai rudement foutu ce soir et tu sais qui ? Ermeline. J'en ai joui de tous les côtés. Je lui ai bien percé son tonneau !

— Moi, j'ai honoré avec générosité une chambrière qui amasse aussi des deniers à la grande sueur de son cul. Ah, je lui ai fait suinter son lard !

— Écoute-moi ces prétentieux..., sourit leur célèbre maître près de la jolie élève blonde qui le tient dans ses bras. Ces brodeurs de faits d'armes ne trompent personne. Hier, j'en ai entendu un se vanter d'avoir foutu dix-sept fois au cours d'une nuit. Dix-sept fois...

— Eh bien quoi ? relativise Héloïse. Si tu commences en fin d'après-midi et que ça dure jusqu'au lever du soleil... Il y a quelque temps, le jour où mon oncle est parti voir l'évêque d'Orléans pour les fêtes de Pâques, je me souviens qu'avec le jongleur sous la bâche de sa charrette, au matin, c'est moi qui lui ai dit d'arrêter. Je n'en pouvais plus. Je me rappelle que je dégoulinais également de sueur entre les seins et qu'après, toute la journée, j'avais mal au ventre tellement son bourdon était grand et gros.

— Tu n'as pas reçu dix-sept giclées de foutre quand même ?...

— Il avait vingt ans et ses couillons, paraissant des sources qui ne se tariraient jamais, étaient énormes, décrit Héloïse. Ce n'est pas beau, d'ailleurs. Les tiens sont plus gentils.

— Ce que tu as dû jouir..., déplore Abélard.

— Oui, bien sûr.

— Ah mais, ne me réponds pas, garce !

— C'est toi qui me le demandes... Bon, je ne te dirai plus rien. Et puis quelle importance, c'est du passé. Ton joli écureuil me va. Moyen, il est à ma taille.

— Oui, comme toutes les femelles tu préfères les longues verges. Les chants de goliards le relatent, repris en chœur par les catins du bout de l'Île. Pourquoi tu allais avec des gars montés ainsi ?

— On ne peut pas savoir à l'avance, demande excuse Héloïse. Et ce n'est pas ma faute si je ne suis tombée que sur de gros vits. Les garçons étaient gentils.

— Oui, gentils... Si le soc de l'un d'eux avait été de la taille de mon auriculaire, tu serais retournée te faire labourer par lui ?

— Ah non, si c'est trop petit et que tu ne sens rien...

— Mais si le gars est gentil ? En moyenne, ils étaient de quelle taille leur... à tous ces... ? Montre-moi.

— Je ne sais pas, moi... En tout cas, quand ils se la tenaient d'une main à la base puis d'une autre au-dessus ça dépassait encore drôlement.

Le maître se prend la queue qui disparaît entièrement dans sa paume alors il masque, le mâle qui n'est pas à la hauteur du philosophe.

— C'est parce que tu as de grandes mains, sourit la scolare dont le discours va flatteur et captieux comme le serpent rampe en un plant de fraises. Et puis tu ne la portes plus bien raide. Il te faudrait recourir au gingembre. C'est dommage que tu n'aimes pas ça car lorsqu'on vieillit...

Abélard s'adosse contre son oreiller :

— Allonge-toi à plat ventre, en croix par-dessus mes cuisses, celle qui ruisselai-ai-ait, poursuit-il en la singeant, de sueu-eu-eur entre les sein-ein-eins !...

— Ce devait être parce que c'était l'été et qu'il faisait chaud, suppose l'élève en s'installant ainsi que le lui a ordonné le maître.

— Bien sûr, Pâques en été... Je vais te battre. Ton oncle qui m'en a donné l'autorisation attribuera tes cris aux difficultés de l'enseignement du grec. Tu vas voir ton cul, bougresse...

— Toi qui es un être de chair et de sang, pensais-tu avoir rencontré une demoiselle de pierre ou de bois ? implore la filleule. Vieux que tu es, rappelle-toi que la sensualité travaille la jeunesse aussi des filles et combien il est difficile de résister à ses aiguillons. Aouh !...

Abélard lui a donné une violente claque sur les fesses. L'orpheline porte aussitôt la marque écarlate d'une grande main.

— Aouh !...

Peu à peu, le joli cul rougit en d'autres endroits. À chaque coup reçu, Héloïse se tend, pleine d'émoi. Tout ceci pimente la relation. Cette Vénus aux fesses inflammables, saute-au-lard, prête son derrière à Abélard qui, retrouvant une ardeur amoureuse de vingt ans, use d'un vocabulaire de charretier pour mieux la flétrir :

— Coconaille, villenaille, chiennaille, merdaille !

— Que voilà, sire l'amant, un beau langage ! Aouh !... Maître, je suis comme la feuille d'or qu'on applique sur l'enluminure d'un parchemin. On peut la tapoter doucement mais pas trop fort afin d'éviter de la déchirer.

— C'est ça...

— Maître, ouille, je te suivrai, ouille, où que tu... Aïe !

Et sur le cul d'Héloïse, ce ne sont que des bastures, des colles et des baffes tandis qu'elle fait mine de réciter les sept psaumes de la Pénitence. Sa peau tendue de presque enfant a la résonnance de celle d'un tambour. Le vieux philosophe, aux deux parents retirés dans des monastères, retient l'élan de son bras vengeur puis le rabaisse en caresse, le relève et frappe. Les doigts lui piquent. Entre chaque fessée, il plaint hypocritement le derrière d'Héloïse :

— Oh, mon pauvre chéri si adorable, tu as encore été battu...

Et il recommence. À chaque claque, le dos de la nièce de Fulbert se redresse :

— Aouh !

Il fait semblant de récidiver, hisse haut son bras, le pose délicatement sur la peau brûlante puis le remonte. Elle attend avec appréhension, se crispe, et soudain reçoit la paume qui la cogne. L'épiderme de ses fesses ondule telle la surface d'une eau où on aurait jeté un caillou en ce jeu vicelard mais l'élève prévient :

— *Omnia tu mihi facis tibi facio, omnia ego facio mihi facis.*

— Comment ça : « Tout ce que tu me fais je te le fais, tout ce que je te fais tu me le fais » ? Serait-ce là notre règlement intime ?

— Exactement. D'ailleurs, prends maintenant ma place et moi la tienne.

En travers, sur les mignonnes cuisses de grenouille de la scolare qui peine à s'asseoir (évidemment), le précepteur s'installe et lui offre un cul nu de théologien reconnu qu'elle fesse doucement pendant qu'il promet :

— La prochaine fois que tu me contraries, je t'encule.

Elle sourit.

6.

— Ah, sacrée putain de renarde, ce que tu m'as encore révélé ! Ta simplicité me désarçonne. Alors, donc, ils te baisaient bien !

— Je t'ai dit que c'est moi qui les baisais bien.

— Forcément, tu es bonne sous l'homme.

— Et sur l'homme !

— Catin ! Je vais te prendre par la porte basse. Ô, dis : « Entre ! »

— Bon, mais huile de cameline, s'il vous plaît !...

Abélard, couché sur le côté, pénètre et débute un va-et-vient en Héloïse, également allongée, cul tiré contre le bassin du précepteur énervé. La toison dorée du philosophe se défrise contre les fesses de l'élève qu'il attrape aussi par les cheveux tout en la secouant comme un cuisinier remuerait un chaudron infernal.

Malgré un oblique rayon de soleil qui se glisse loin dans la chambre, une bougie-horloge allumée se consume de graduation en graduation sur la table de chevet et le maître, amateur du goût arabe, livre la scolare à l'obscénité d'un assaut fracassant en lui jouant du *De profundis* et râlant :

— Espèce animale inférieure, je le sais bien qu'un jeune amant plus vigoureux est davantage apte à conclure !

Ce bon ouvrier embrasé remue les reins, fourbit, pique, et martèle la demoiselle qu'il prend entre les fesses, force en barbare oultre ses demandes d'attention :

— Eh, oh, doucement ! Divin fripon, canaille brute, tu mets l'ordre du monde sens dessus dessous !

On devine qu'il s'agit pour elle d'une expérience hors limite. Lui l'amène à partager son envie, possessif et impatient avec son impétuosité à tout vouloir sans restriction, hanté par le désir de l'ornière de ce... dos. Là, d'une habileté incendiaire, il pense perdre l'esprit, lui réclame d'avouer qu'elle aime ça.

« Ta queue, Dieu la bénisse, qu'elle est belle ! », l'excite l'élève pressée qu'il en finisse alors que lui, s'agrippant contre elle et lui tournant la tête pour l'embrasser sur les lèvres, confesse :

— J'aime ta bouche, j'aime tes cheveux, j'aime ton cul.

— Bon, eh bien tant mieux ! Encore qu'il y a un endroit, je m'en passerais...

— Fais avec !

L'amie a des atouts et la voilà déshonorée, pute avérée aux yeux d'Abélard qui ose prétexter :

— Le coït anal est recommandé par la médecine savante en tant que technique la plus efficace pour ne pas concevoir. Tu n'auras donc pas à sauter trois fois en avant puis trois en arrière, talons aux fesses, pour que descende la semence, que s'expulsent de ton ventre les derniers survivants.

— Ni faire jeûne et prière auprès de certaine sainte chrétienne pour conjurer le mauvais sort ?... ou, si un enfant naissait, devoir le jeter dans la fosse des communs ou l'offrir au cochon en pâture ou le confier au sort de Dieu en le laissant mourir en pleine forêt ?

— Ni même. C'est te prouver les avantages. On dit merci qui ? Merci maître !

Elle ne va pas jusque-là, celle au don pourtant total, délaissement des vertus, absence à soi-même, où s'excite l'homme comme pris d'apoplexie quand soudain – pff !... –, sur la table de chevet, la bougie-horloge tout anéantie s'éteint, lâchant un fin filet de fumée sombre qui s'évapore et semblant annoncer : « C'est l'heure. Paix à cette lutte ! »

— Ah, sans doute à cause d'un courant d'air qui précipite la combustion, je n'ai pas vu le temps passer, Héloïse !... Elle fond beaucoup trop vite, ta bougie.

— Pas la tienne. Tudieu, quand tu le coulisses là, ton membre, je ne l'estime pas une figue...

En bas de l'escalier de pierre, arrivant dans le salon, l'élève avance douloureusement, jambes un peu écartées, alors qu'une servante âgée et rondelette pose une planche sur des tréteaux, dresse la table qu'elle recouvre d'une nappe au parfum de linge séché au vent.

— Tu as une drôle de démarche, ce soir, Héloïse, s'étonne son oncle. Que t'arrive-t-il ?

— C'est d'étudier avec maître Abélard qui me fait ça...

— Oui, mais est-ce que ça rentre ? voudrait savoir le tuteur.

— Oui, oui, ça rentre. Plus facilement que cela aurait été avec d'autres en tout cas...

— Un avis, précepteur ? demande Fulbert au philosophe.

— Votre nièce a décidément le sens de la dialectique, hoche de la tête celui qui a retrouvé le luxe sévère de sa personne tandis que la servante, tout en regardant se déplacer la filleule, tend au maître un bassin d'argent pour qu'il y trempe ses doigts avant que de passer à table où elle lui propose un gobelet, hanap de vin pimenté.

— Non, pas pour le maître, Denyse, intervient le chanoine, car il n'aime pas le gingembre.

— Si, si, je vais en prendre, plein ! réfute Abélard.

Denyse, visage un peu à la va-que-je-te-pousse et rictus soupçonneux aux lèvres, dépose au centre de la nappe, dans une vaste écuelle d'étain, un chapon en croûte d'amandes pilées et commente :

— Moi, la première fois que j'ai marché comme Héloïse, ce n'était pas parce que j'avais étudié...

Les médisants sont aux aguets.

7.

— Tout ce que tu me fais je te le fais. *Omnia tu mihi facis tibi facio*, maître Abélard !

— *Omni... « A ! » tu mihi f... « A ! » ...cis tibi f... « A ! » -cio*, petite scolare perverse qui ne sait articuler le latin.

— Tu me donneras des leçons de prononciation, me réapprendras comment ouvrir la bouche pour dire les « A » une autre fois. En attendant, reste là. Ne bouge pas. Oh, je ne sais plus où j'ai mis l'huile de cameline. Bon, tant pis !

Avec une carotte sauvage blanchâtre à la peau coriace, Héloïse sodomise à sec Abélard à qui elle a commandé de s'installer dans la même position qu'elle, la veille. Lui, se livrant à la volonté de l'élève, ressent en retour quelques préjudices qui piquent entre ses fesses alors qu'en plus il se fait engueuler par la blondinette :

— Ah mais, il va bientôt arrêter de se débattre celui-là ou quoi ? Détends tes épaules. Respire..., conseille-t-elle à celui dont elle attire, d'une paume, le bas du dos contre sa touffe pendant que, racine potagère dans l'autre main, elle le... Ah, comment dire ?...

Elle encule Abélard avec ardeur. Dehors, contre la fenêtre de la chambre et sous les branches d'un arbre, des cerises de juillet rougissent tandis que de l'autre côté de la ruelle, aux pans en bois des maisons, un rire s'épanouit sur des figures sculptées.

— Tu le sens mon sceptre de Vénus et aussi mes gros génitoires, Abélard ? demande la scolare en plaquant ses minuscules poings serrés de part et d'autre de la carotte plantée.

— Eh bien, au couvent d'Argenteuil, sans doute un de ces monastères dont on dit qu'ils sont pleins de religieux dévoyés, tu en a appris des choses...

— C'est toi qui m'as enseignée, mon maître de la luxure et du vice. Vive la réciprocité des plaisirs sur un pied d'égalité.

— Moi, au moins, en même temps, je t'embrassais tendrement.

— C'est ça, hypocrite. Eh ben moi, disons que je n'y ai pas pensé.

— Traînée !

— Héloïse, je m'appelle...

La chambre s'est emplie de surenchère érotique. La filleule du chanoine, pressée par la lubricité et atteinte d'une frénésie qui tient en tête, récure le pot du philosophe :

— J'accorde plus de prix à ton anus qu'à ton âme. Il vaut davantage que tout baiser sentimental. C'est un bien grand honneur que nous fait Nature en te perçant à cet endroit où je peux aller jouer.

Dans l'acte qui se répète en boucle, l'amazone inhumaine accélère ses allers et retours.

— Eh, oh, Héloïse ! Mais comment tu y vas ?!

— J'agis comme toi. Fais avec.

Le théologien, couché sur le côté, reluque, très étonné, le bas niveau d'une pendule à eau posée sur la table de chevet :

— Quoi, déjà presque une heure que tu me besognes ? Qu'a-t-elle, ta clepsydre, une fuite ?

— Tu ne vois pas le temps passer, hein, parce que tu aimes ça, hein ? Avoue que tu aimes.

Héloïse retire la carotte pour juger de tout ce qui est entré et s'en trouve épatée :

— Oh, dis donc, que c'est profond à l'intérieur et vaste : un gouffre !

Pour un peu, elle se mettrait à surnommer l'endroit « Padirac ».

— Tu m'as déshonoré ! déplore le précepteur en s'asseyant difficilement sur le lit.

— Je ne t'ai pas déshonoré, je t'ai honoré !

8.

Que le soleil d'août est beau quand, l'aube éclairant déjà la chambre, il se lève comme une explosion en lançant son bonjour et que la paume d'Abélard s'immisce entre les cuisses d'Héloïse qui les écarte. Là, une rose rivière apparaît fantastiquement parmi les ombres encore léthargiques de la nuit et il y scintille un trésor ignoré des doigts du maître que sa main guide à travers le vide.

— Bonjour, ma amour...

— Bonjour, ma amour.

En ce temps où le mot « amour » est féminin même au singulier, ô toi, phalange agile du précepteur, c'est du rêve que tu foules et la rosée que tu sens est si comparable à des pleurs.

Loin de ses leçons et tourments philosophiques, Abélard n'aime plus que l'endroit douillet où se meuvent ses doigts tel un oiseau remuant en un nid de mousse baigné de soleil. Et pour Héloïse, cela fait se déployer les fleurs de son cerveau. Bon limier au flair diligent, son amant l'emporte aux meilleurs zèles tandis qu'elle le branle cependant le maître conseille :

— Tu es gentille mais cesse car ça va te distraire. Ne pense qu'à toi et croise plutôt les mains derrière ta nuque.

— Non parce que je serai crispée. Je préfère étaler mes bras en croix. Je...

— Que ressent-on, ma amour, quand quelqu'un vous masse ça ?

— On...

La vie devient une chose étrangement ailée par le fait logique et charmant d'un léger mouvement d'articulation d'index comme un balancement d'encensoir. Les sons et les parfums pivotent dans l'air ; danse mélancolique et langoureux vertige tandis qu'Héloïse révèle à voix basse :

— On ne pense pas à ce qui se passe... On découvre. La tête ne réfléchit pas. On oublie même celui qui est là. On écoute plutôt son propre corps.

Et toujours la bonté de la caresse sincère au feu follet d'un souterrain. C'est vrai que cela tient du miracle.

— Tout se concentre sur ce qu'on perçoit car si on pense on ressent moins les choses. Parce qu'on n'a plus qu'un seul sens en éveil tout se cristallise dessus et le démultiplie...

Un sourire exquis qui tient de la fièvre épanouit les traits d'Héloïse où pousse un jardin entier de poèmes nouveaux :

— Les autres sens sont endormis. Tu n'entends pas. Tu ne réfléchis pas. Tu n'écoutes pas mais tu perçois le frôlement des doigts contre les poils, le souffle de l'autre. Oh...

Le gémir de la bouche de la scolare balbutie d'autres mots :

— Arrivé là, la moindre caresse devient énorme, pourtant tu dois savoir te détendre, te relâcher, sinon tu ne peux pas ressentir cela. Il faut surtout avoir une totale confiance en l'autre parce que, toi, tu te laisses aller, tu es à l'abandon, alors tu dois être certaine que l'autre ne va pas te causer de mal.

L'ex-élève du couvent d'Argenteuil pousse à Dieu son cantique – *Magnificat* aux flots d'encens – et tandis que cette chanson lui monte aussi aux lèvres, sous son ventre, des doigts poursuivent sans pitié ni relâche.

— Alors après, à force, tu commences à avoir un peu... Ta respiration change. Tu sens que, de ta bouche, s'échappent des petits sons de plaisir, de bonheur, et tu as chaud, des picotements partout.

Ses lèvres s'entrouvrent vers une apothéose à son désir rauque. Ô sensation menant à la folie.

— Tu commences à bouger et à participer de plus en plus. Tu accompagnes l'autre dans le mouvement de ses doigts qui rentrent et sortent et rentrent, de sa paume qui malaxe...

Perdant à tout moment haleine, Héloïse rit et nargue la débauche sans s'inquiéter de son apparence – la bête ignore sa tête.

— Je t'accompagne davantage. Ça devient plus rapide. Il y a une excitation. Je devine que ça va venir et là...

La tête de la blonde virant en larmes et en feu, avec un roi dans sa fournaise, explose :

— Là, tu hurles : « Abélard, main magique ! »

9.

— Tu préfères ici ou là ?

En gros, Abélard demande à Héloïse si elle est clitoridienne ou vaginale. La fille vêtue de lin et d'innocence répond :

— Ah, moi, je suis les deux.

— Oui, mais plutôt là ou là ?

— Là.

Elle est vaginale. Le précepteur sent comme un vomissement monter vers ses dents :

— C'est pour ça que tu appréciais tellement les gros vits, hein, petite pute ?

— Ah oui ! C'est vrai...

Un juron au sourire mauvais s'envole de la bouche du philosophe pris dans la fatalité de sa jalousie dont jamais il ne s'écarte et dont le poison noie ses sens, son âme et sa raison :

— Remonte ta robe sur les reins et retourne-toi !

Muni du traditionnel bâton de maître d'école qui sert aussi à battre la mesure pendant les cours de musique, il lui frappe à toute volée son joli cul. Ce n'est pas de l'eau bénite qu'il envoie :

— Tiens, prends ça !

À chaque coup reçu par la parfaite, soumise, très sage Héloïse penchée en avant et fesses s'hématomisant à l'air, dans ses longs cheveux blonds défaits ce sont des rayons d'or qui prennent leur essor. Ses petits seins virevoltent dans la robe ouverte où elle se tord. Lui, théologien grand et mince (sauf du ventre...), jure en toussant, courts cheveux en épis sur son crâne. Il blasphème de tous côtés. Aux évêques même il dirait de sales vérités. Mais voici des tintements de cloche comme des coups de flûtes. None – quinze heures, instant où le Christ serait mort sur la croix – rappelle qu'il est plus que temps qu'Abélard file donner ses cours à l'école Notre-Dame où il sera en retard. Pris d'un orgueil vraiment babélique et bâton sculpté au poing serré, moulu par le travail – surtout la baise avec la petite dévergondée jusqu'à plus d'heure et tourmenté par l'âge –, ce casse-couilles complexé par la taille de son zob et qui gonfle sa femelle avec ça, quitte à grands pas le presbytère où, dehors, Fulbert l'interpelle :

— J'ai entendu des coups. Des problèmes avec ma nièce ?

— Des fois, elle m'agace !... Jamais elle ne ment, votre filleule, ma parole ! Elle dit continuellement la vérité ! Et fait tout ce qu'elle promet !

10.

— Si un jour tu me quittes, je deviendrai bonne sœur...

— Bien sûr que non ! Et de toute façon, c'est toi, ne serait-ce qu'à cause de ta jeunesse, qui m'abandonneras. Tu m'oublieras comme on change d'idée.

— Je n'aurai plus jamais rien d'autre que toi de paysage, Abélard, de ciel et d'horizon.

— On dit ça... et puis tout craque, amour et beauté.

Le hideux tourment pour le théologien aux yeux cernés de savoir la secrète horreur du dénouement :

— J'ai la migraine.

Ils sont assis nus, face à face, adossés contre des oreillers et les jambes très écartées, toisons amalgamées. Le silence bout dans l'immobilité.

— Fort heureusement et c'est la logique des choses, ma belle, je filerai bien avant toi pour la mort, cette vie en mieux, et ainsi donc, adieu cher moi-même que d'honnêtes maîtres – Roscelin, Guillaume, Anselme et d'autres – auront blâmé, les pauvres... Disparaître là, tout de suite, devant toi qui me souris, ma amour, j'en serais enchanté.

«Ce n'est pas ton heure. Il faudra d'abord que tu me baises encore!», plaisante Héloïse devant Abélard qui contemple la surface circulaire du gobelet en étain poli qu'il tient entre ses doigts.

— Un matin, tu auras disparu du reflet de ce hanap de tisane au gingembre orné des armoiries de ma famille.

Les yeux comme fixés au large, le philosophe ne dit plus rien. «À quoi tu rêves?» lui demande sa scolare.

— Je cherche la logique de Dieu... Si je devais cesser d'enseigner pour je ne sais quelle raison, j'écrirais à ce propos en logicien.

Pendant qu'il pense au néant et à sa philosophie en déposant le gobelet vidé sur la table de chevet, jolis talons appuyés sur ses épaules, la blonde lui masse les tempes avec ses gros orteils afin qu'il évacue son mal de crâne et leurs mains droites, allant vers l'une vers l'autre, se rejoignent et tournoient dans l'air, phalanges emmêlées.

C'est l'abandon de tout moi entre ces doigts et l'aube des vols quand un index croise un majeur qui l'enroule puis le laisse lentement s'échapper pour le retrouver sous la paume glissant autour du poignet. Loin du remous gris des mers de chiffres et de phrases inutiles, c'est clair et sinueux comme de l'eau silencieuse. Leurs deux mains se font très longuement l'amour en suspension. Au frais oubli de ce qui les exile, voluptueuses, elles épatent les amants eux-mêmes :

— Oh, là, là !...

Sans mensonge et plus d'anxiété, le ciel amoureux leur caresse la peau. Si pacifique est la course des articulations qui se glissent et ressortent au ralenti ainsi que, dans les cieux, les bienheureux et bienheureuses s'éjouissant plus que de raison éternellement avec les anges.

— Sexange...

— Sexange !

Mains loyales et privilégiées au cœur de la richesse infinie des frôlements, la pureté vraiment belle que disent ces gestes !... mais voilà que dehors un chœur de cloches dures monte, aubade d'injures à l'adresse de celui qui sera encore à la bourre et qui s'en fout alors qu'Héloïse lui pelote maintenant les burnes.

— Un jour, je chanterai à mes scolares que c'est de ta faute.

— Tes génitoires sont tels deux œufs pochés que j'ai au creux de la paume... Ça paraît si fragile, il faut y faire attention. En plus, c'est tellement bon dans la bouche. Un jour, j'en ferai un dessin à condition que je retrouve mes feuilles de parchemin car je ne sais plus où je les ai rangées.

— C'est comme si on inventait quelque chose, constate Abélard, abasourdi.

— Peut-être la amour..., imagine Héloïse.

11.

En un début d'après-midi où pleuviote un crachin, des moineaux batifolent au bord de la fenêtre ouverte de la chambre d'Héloïse dans laquelle le précepteur demande à l'élève :

— Passe-moi ce gobelet d'eau de gingembre posé sur ta table de chevet, catin.

— Tu rêves, petit enculé !

— Bon, alors je te quitte.

— Ce n'est pas grave, j'irai me faire hurtebiller ailleurs. Ben quoi ? Tu es bien susceptible aujourd'hui, Abélard.

Encore des dialogues épicés de colère plaisamment simulée et finissant en fou rire des deux amants qui s'embrassent. Habillés et étendus parmi les coussins du lit, le maître caresse le crâne de la scolare :

— Ils sont doux, tes cheveux, ma amour. On dirait les poils de ton cul.

— Ah, ça démarrait bien et puis...

— Je t'aime depuis le goût de tes lèvres sur les miennes jusqu'à celui délicatement sucré de ta merde.

— Mais on ne dit pas ça à une dame, ma amour !

— Tu n'es pas une dame, tu es ma pute.

Parce que le baiser d'Abélard lui plaît, Héloïse ouvre si bien sa belle bouche que leurs langues se touchent malgré les dents blanches qu'Amour a tant desserrées qu'ils ne pourraient se mordre. Ce jeu des baisers, ce jeu des sens... La rose en lèvres d'Abélard s'élargit, tels les vastes plis sombres de l'ample tapisserie suspendue au mur, avec emphase !...

L'amoureux fripe la robe de soie ornée d'oiseaux de l'amoureuse dont la chevelure blonde ondoie. Et ils s'accolent encore plus étroitement, continuant de s'embrasser. Le monde entier s'anéantit pour eux, ils s'aiment. Ils utilisent leur langue, ce petit membre *moult escoulanjaux* et c'est la foire aux papilles qui multiplie les diableries !

— C'est une danse comme le branle, pense celui qui ne sait plus rien que de caresser l'autre d'une main errante.

Ils se donnent la bouche l'un à l'autre autant qu'humainement possible avec tout ce que Désir peut offrir d'audaces et de raffinements. Le fruit de ce bonheur leur est d'autant plus doux qu'ils le savourent ensemble. L'écaille s'unit à l'écaille, nul souffle ne les traverse plus dans ce baiser en cascade où la fougue, la tentation de la chair, un incendie qui les enflamme, ne cesse de brûler au fond de leur cœur et c'est alors qu'Abélard se lève en étendant, de chaque côté de son buste, ses longs bras qu'il remue pareils à des ailes. Il laisse là l'aguicheuse au sourire pervers, au déhanchement de rouée qu'il aime.

Dehors, Fulbert est très étonné de voir le précepteur de sa filleule aller comme nageant dans l'air. Il en cligne les paupières bombées de ses yeux de poule, gratte la tonsure au bord de ses cheveux crépus, près d'un abbé gras qui sourit :

— Tiens...

Cet abbé est un laid d'assez fadasse mine dont un œil chassieux luit sous son sourcil en brosse. Une odeur de fumée sans feu aux douces exhalaisons de la délation s'échappe de sa bouche lorsqu'il l'entrouvre :

— Tiens, tiens...

Les deux ecclésiastiques sous le crachin regardent s'éloigner le célébrissime maître, devenu fantôme égaré dans des fantaisies fantasques, qui bat verticalement ses bras en élytres. On le dirait pris d'une maladie de langueur. Les cloches de Notre-Dame bercent du moins son ombre. Des médecins à dos de mule se retournent vers lui. Des pèlerins qui le reconnaissent soulèvent leur ruisselant chapeau de Saint-Jacques portant la coquille. Il passe devant des crieurs de vin nouveau du roi, des tisserands qui ferment leurs échoppes. Ondulant ses longs doigts-pennes, il volette entre péril et ridicule, sent l'odeur douceâtre des premières pommes de septembre. Encolure peu dégagée et ronde, sa cape est maintenue contre la poitrine par une agrafe d'or. Ange hors d'âge et d'usage, il va sur des patins de bois pour se protéger de la boue entre des batailles de feuilles en déroute tandis que sur ses lèvres s'efface lentement la marque d'un baiser. Devant la porte de l'école, il s'étonne de la trouver fermée. Un cavalier lui dit :

— Mais, maître Abélard, n'avez-vous pas entendu sonner l'angélus ? L'heure de votre cours est terminée et les scolares qui vous ont attendu longtemps sont repartis, dépités.

— Ah oui ?... Je n'ai pas vu le temps passer.

Ses mots s'entrelacent, accordés à une mélodie tantôt agréable, tantôt dissonante, heurtée ou plaintive. Il ressent un vide vertigineux entre ses bras maintenant que ne s'y trouve plus Héloïse. Près du presbytère, le chanoine fronce son groin de pourceau en observant, là-bas, le précepteur défait, comme perdu :

— Il est perturbé.

— Peut-être par une élève..., cancane l'abbé gras, voisin compatissant qu'on pourrait appeler Ragot.

— Quelle élève ?

— Demandez à votre servante.

— Denyse ? Encore une de ces bavardes parties en pèlerinage au reliquaire de sainte Caquette !

— Fulbert, vous refusez à voir, croire, ce que tout le monde sait sur l'île de la Cité. Vous serez le dernier à connaître la plaie de votre maison.

— Quelle plaie ?

Le filet des commérages se referme sur Héloïse & Abélard®.

12.

— Mes nombreux scolares venus de l'Europe entière, j'avais d'abord pensé vous faire traduire ce matin une page de Platon en latin mais... pourquoi apprendre cela ? Des Grecs anciens et des Romains, nous n'avons plus de nouvelles. Leurs paroles ont cessé car leur vive braise s'est éteinte. Quant à l'évangile de saint Matthieu, que dit-il d'intéressant, hein, que dit-il ?

Les élèves assis aux pieds d'Abélard sont stupéfiés par ce que révèle le maître qui insiste en confiant :

— Il me devient infiniment pénible d'aller aux cours comme avant et d'y passer du temps. Mes mots n'arrivent plus que par routine. Je ne dis plus rien par inspiration. Je m'ennuie au milieu de vous.

Les élèves silencieux et dociles, debout contre les murs ou assis sur des bottes de paille, rabaissent leurs plumes d'oie et parchemins, leurs stylets destinés aux tablettes de cire sur lesquelles ils avaient prévu de graver quantité de notes en abrégé alors qu'Abélard envoie tout balader :

— Adieu le feu croisé des questions, la leçon et la séance de controverse. Je préfère vous interpréter une chanson de ma composition...

Il tire devant lui un petit banc sur lequel il plaque l'épaisse semelle d'un des patins de bois qui le chaussent. Une cuisse, donc, à l'horizontale, derrière lui sur sa chaire professorale – où traînent du poivre long, graines de paradis, spic-nard, citoual, safran, réputés pour leurs vertus aphrodisiaques –, il s'empare d'une vielle qu'il accorde en demandant excuse par avance :

— Cette chansonnette est un brouillon. Elle n'est pas finie d'être écrite. Elle sera sincère et sûre quand j'y aurai passé la lime.

Il installe l'instrument de musique sur sa cuisse relevée et prévient :

— Elle est rédigée en langue barbare, la langue actuelle et d'ici, quoi ! Pas en langue absconse de pharaons...

Son attitude étrange, la fatigue qui embrume ses yeux, son désintérêt avoué pour les cours, le trahissent :

— Il est amoureux, murmure un élève.

— Enfin, avant de commencer, conclut le philosophe (chanteur), et pour que vous compreniez bien, sachez que quand le narrateur de cette rengaine fictive voit l'aube arriver, il n'est rien qu'il déteste autant car elle l'éloigne de quelqu'un qu'on pourrait appeler, tiens, par exemple : « Héloïse. »

— *What a surprise!* ricane un scolare venu de Londinium.

Abélard fait claquer des dissonances de cordes sur son chevalet de bois qu'il accompagne d'un ululement de chouette puis une chanson précipitée s'échappe de ses lèvres :

Héloïse! quand je suis avec toi
Le temps passe trop vite, Héloïse!
Sitôt que je te rejoins, quelle loi,
Je suis déjà en retard, Héloïse!
Les grains de ton sablier sont trop fins
Et s'écoulent donc si vite, hein,
Remplace-les par de plus gros, bon Dieu, Héloïse!
Sitôt allumée, à ta bougie-horloge,
Les graduations s'effondrent en tas.
Non mais, où t'as acheté ça, Héloïse ?!
Tu fais d'un regard s'évaporer en nuage le niveau d'eau
De ta clepsydre, oh, Héloïse!
Folle, tu l'as aussi percée de plusieurs trous ou quoi ?!

Il chante, un bras et index tendus en avant comme s'il engueulait quelqu'un que lui seul voit, et pris de panique affolée :

À l'est, le trait d'ombre du cadran solaire
Accroché à ta façade, de quoi a-t-il l'air, Héloïse ?!
L'instant d'un baiser sur mes lèvres,
Tu le fais basculer à l'ouest, quelle fièvre, Héloïse!

Les martèlements du forgeron de ta ruelle
Qu'ils vont vite quand je suis dans tes bras, ma belle!
C'est comme les battements de mon cœur
Non mais, écoute ça : «Bam, bam, bam», j'ai peur, Héloïse!

En nage, comme un furieux il cogne des mains sur son chevalet dans un rythme sauvage inconnu jusqu'ici ou alors peut-être par des peuplades d'Afrique. Quant à la fin de sa chanson, oh, là, là...

Avec toi, tout est comme le va-et-vient
De plus en plus rapide de ta main, Héloïse!
Hou, ce que tu me fais là
Et comme tu me le fais, ah, Héloiiiise!

Et voilà!... Alors que le maître reprend son souffle, ses scolares éberlués quittent l'école pour commenter dehors. La désolation de certains est grande :

— Bon, Amour lui a chauffé un bain qui l'ébouillante et le tourmente!

— C'est Sénèque qui sacrifie son enseignement à la fornication! Nous l'avons perdu.

— Il ne veut plus nous apprendre mais seulement luxurier. *Lubricus sexus!*

— Il se moque dorénavant de nous autant qu'une guenon de noix vides.

— Il décline dans notre estime. Ses rivaux et ses ennemis, Anselme et d'autres, triompheront.

— Celui que Paris avait adopté comme son enfant, son ornement et son flambeau, sera foulé aux pieds tel un dieu tombé d'un piédestal !

— Il sera montré du doigt tel un débris de lui-même. On citera comme un scandale de la faiblesse humaine celui qui ne trouve plus sur ses lèvres que le nom « Héloïse » !

— Qui est cette fameuse Héloïse ? demandent des femmes pas encore au courant et qui attendaient la sortie du maître.

— Ne patientez plus, leur conseillent les scolares effarés. Si ce n'est encore la lueur de ses yeux bleus et la beauté de sa figure amaigrie, en le voyant ainsi qu'il est devenu vous jureriez qu'il est un gueux et vous écarteriez à son aspect.

— De lui, il ne reste que les cendres.

— Oh ! s'étouffe une belle, il est amoureux ?

Des dames en cotte écarlate parée d'hermine et chapeautées d'une coiffe volumineuse, mais surtout dépitées, en ont les larmes aux yeux. Une autre à la robe aux teintes moins vives et donc plus âgée, peut-être même veuve, n'en est pas moins désolée :

— Des sels ! Je vais m'évanouir...

La désillusion féminine pleure le long du fleuve pourtant beaucoup d'autres scolares ont, eux, adoré le récital :

— Il a eu raison. On ne dit pas une telle histoire d'amour, on la chante comme ça et merde à l'amour courtois ! Les temps changent. Quelle leçon !

— C'est joli de meugler sa passion en une poésie où les vers et la musique sont trempés du même feu !

— Que Dieu laisse vivre notre maître encore et encore pour qu'il ait longtemps les mains sous la robe de sa amour !

— *Héloïse!... quand je suis avec toi, le temps passe trop vite, Héloïse!...*

— *Sitôt allumée, à ta bougie-horloge, les graduations s'effondrent en tas. Non mais, où t'as acheté ça, Héloïse!...*

Ceux-ci s'étourdissent de la rengaine en allant vers du vin des coteaux qu'on sert dans les tavernes où ils reprendront en chœur près des putains ribaudes :

— *Avec toi, tout est comme le va-et-vient de plus en plus rapide de ta main, Héloïse!... Hou, ce que tu me fais là et comme tu me le fais, ha, Héloïse!...*

En s'y dirigeant, ils chantent à travers l'île des paroles que d'autres lèvres inconnues répètent en écho. Elles sont reprises par toutes les bouches.

— Cette chanson restera dans les mémoires et remplira tellement le monde qu'elle arrivera à la cour du pape !

Sous le cadran solaire accroché à la façade du presbytère où la servante du chanoine fait bouillir du linge dans une cuve posée sur des flammes de hêtre, Fulbert s'ébahit :

— Oh, entendez-vous, Denyse, cette nouvelle chanson qu'on dit avoir été écrite par Abélard?

Héloïse!... Il a choisi le prénom de ma nièce. C'est gentil, ça...

La servante, par-dessus les vapeurs de la cuve, lève les yeux au ciel :

— Oh, mais c'est quand que vous comprendrez, chanoine ?

13.

Derrière eux deux, en la chambre à l'étage du presbytère où vient d'arriver Abélard, une nouvelle grosse lampe en terre suspendue au plafond par un jeu de chaînettes illumine la pièce à fenêtre grande ouverte sur la nuit tombante. C'est Héloïse, à contre-jour, qu'on voit prendre l'initiative et filer droit vers le philosophe.

— Avec une effronterie débridée, je viens à vous, mon maître, robe levée. Jamais, de votre semence, je ne serai assouvie. J'ai pour vous le cul frétillant et le con le plus accueillant au monde.

— Et moi, ma scolare, je viens à vous avec un vit d'âne en rut. Je vous hurtebillerai avec une ardeur telle que vous devrez faire nettoyer les draps demain parce qu'ils auront besoin d'aller à la lessive. Nous ne partirons d'ici, ni moi ni mes couilles, sans avoir tenté de si bien vous mettre que vous en restiez gisante et pâmée. Je vais te farcir à la bite, ma amour !

— Oh, mon troubadour...

— Tu préfères te le prendre où mon *opus Dei*, mon « œuvre de Dieu », mon foutre ?

— Partout !

Elle, qui tombe en pamoison quand il lui parle de sperme, surenchérit :

— Puisque vous m'avez tant menacée de me baiser, j'aimerais prendre la mesure, maître, de vos fanfaronnades.

— D'accord mais promettez-moi d'accepter que je vous fasse ce que je voudrais.

— Et moi de même. *Omnia tu facis, etc.* Je suis votre Vénus au cul de paille.

S'offusquera de ce dialogue qui voudra, moi je ne vois pas qu'ils se sont parlé grossièrement. La robe qu'Héloïse retire entièrement serpente autour d'elle. Les accoutrements d'Abélard sont retenus par des laçages et des aiguillettes qu'il défait. Et leurs habits sont jetés en l'air. Grâce au vif éclairage de la lampe derrière, les silhouettes de ces vêtements envoyés au diable flottent maintenant en ombres chinoises sur la façade de l'église Notre-Dame vers laquelle s'approchent des gens.

Ils viennent devant l'édifice religieux comme au spectacle. Il y a là des chapeliers, des herbiers dont un au nez mangé de mites, des dames de la noblesse en robe paonacée d'un bleu très intense et des pauvres aux tenues délavées. Des musiciens portant leur instrument et un jongleur envoyant ses boules en l'air, tous sortis de la taverne qui jouxte l'église, sont revêtus de défroques à rayures. Les prostituées Ysengrine du Glay, Sébille des Mares et d'autres sont reconnaissables à leur aiguillette jaune cousue sur la poitrine. Telles les criminelles, elles ont les cheveux courts, signe d'infamie. Ils sont ici en foule, les commerçants, les nobles, les ribaudes, et même trois larrons : Barat le rusé, Canteleux le trompeur, et Fadet le Petit Fou qui accompagnent Malaperte – le valet d'Abélard à la face exsangue et nez pointu. Même les soldats en armes, accourus pour rappeler que ce sera bientôt l'heure du couvre-feu, s'installent devant Notre-Dame. Là où est l'amour est aussi l'œil ! Parce que l'éblouissante fenêtre ouverte d'Héloïse donne pile dans l'alignement de la ruelle qui mène droit à la façade de l'église, les silhouettes des deux amants sont projetées en grand sur la maison du bon Dieu. Tout le monde se met en place car ça va bientôt commencer.

En la chambre, la lumière rassure le couple et, dehors, satisfait les spectateurs qui découvrent l'ombre d'Héloïse se tendre, pleine d'émoi, vers Abélard. Elle devient maîtresse après des préliminaires – deux doigts dans la chatte et deux dans le cul – puis va, sans plus attendre, à l'homme excité par le gingembre et sa stimulation verbale :

— Enfin au port pour ce qu'il me reste de vie et pour la mort !

Satyriasis chez lui et nymphomanie pour elle, l'imagination entretient la perversion, pousse aux errances de leurs sexes une sensualité excessive. Elle, dont la vertu diable est au creux des reins, montre sans vergogne son bas corporel et lui, oh, combien il mord les lèvres de la bouche de sa belle ainsi que celles de sa gousse, sa coquille, sa fente, son huis qui ne demande qu'à être fermé, en jetant des insanités. Elle ose tout ce que son cul lui dicte. Dans chaque coup de bite c'est du « Je t'aime ». Et vraiment ça fait des bruits répercutés par des dieux de fonte, une musique dissolvante. Et c'est parti aussi pour les commentaires des spectateurs !

— Putain, ce qu'il lui met..., s'épate Barat le Rusé.

— Il se la donne, le philosophe, hein, Canteleux le Trompeur ? s'esclaffe Fadet le Petit Fou.

— Vous avez vu comme il est, mon maître qui croit que je suis en train de garder sa demeure en bord de Seine ! siffle Malaperte.

Ysengrine du Glay, humiliée, voit en cela une concurrence déloyale :

— Ce n'est pas humain. Et tout ça en gardant les cheveux longs...

— Pas trop de lait, conseille une crémière à Héloïse qu'on voit de profil sucer Abélard. Les médecins l'accusent de provoquer la lèpre.

— Moi, sous la bâche de ma charrette, parce que ça n'entrait pas dans sa bouche, elle ne me l'a jamais gobé, regrette le jongleur qui en laisse tomber ses grosses boules (tant pis pour sa gueule, dirait Abélard).

Violent appétit de luxure, lui, le précepteur fait ce qu'il veut de sa scolare, prend par où il désire, en ces joutes, la nièce ivre de son corps qui tient entre ses doigts le goupillon qui la besogne. Il lui laboure la vigne et, malgré son âge, sa bêche ne ploie pas avec l'effort dans l'archière, le sillon, le gaufrier, la fente du cuvier d'Héloïse qui, elle, avale les reliques, le bourdon, l'écureuil, le soc de celui qui crie *Gloria laus* qu'on pourrait traduire par « Gloire à l'os ! ». Ils font la bête à deux dos. Le cul tout rompu, la nièce du chanoine transgresse les règles et, sans honte ni pudeur, devient une débauchée doublée d'une obstinée dans la faute. À nouveau, elle engloutit les joyaux, le vit, la queue, comme une harengère. Rires et supplices infernaux en ombres chinoises sur la façade de l'église. Les postures de ces amants évoquent parfois les statues tordues des temples indiens. Le long du mur sculpté de saints, Héloïse monte au paradis. Ils se font la noce plusieurs fois la nuit. Il lui ratisse le mal-joint. Ils se donnent tant de joies que nul ne pourrait dire. Affaires de cœur, affaires de culs dans ces luttes sans but. Et revoilà la partie de jambes en l'air et du baston à un bout lancé dans une nouvelle chevauchée sans selle ! On ne comprend plus rien aux postures :

— Et là, c'est quoi, un genou, un coude, un sein d'Héloïse ?

— Mais non, ce sont les génitoires d'Abélard.

— Tu en es certain ? Quel bordel !

Sous la nuit claire piquetée de milliards d'étoiles, à la façade de l'église, il faudrait un astrolabe pour s'y retrouver. Baisers repus, gorgés, les spectateurs observent avec des yeux brillants de fêtes carillonnées. Un médecin, sous son haut chapeau pointu, diagnostique à propos de la filleule, adoratrice du saint Phallus :

— Son dérèglement provient d'une variation de chaleur interne qui doit être évacuée entre ses cuisses par la satisfaction d'ardeurs nécessitant plusieurs interventions.

— Quand je pense qu'avec moi, se lamente le jongleur, à l'aube elle m'a demandé d'arrêter alors que là c'est parti pour durer jusqu'à midi... au moins !

Les dames regrettent de ne vivre les leçons si particulières de ce maître goulu jusqu'à manger les figues du chanoine.

— L'aventure est publique. Nul ne l'ignore hormis, bien entendu, le plus intéressé, à savoir Fulbert qui ne se doute toujours de rien. Il repousse même les avis.

— Il prétend qu'Abélard est, par son génie et par sa piété, trop au-dessus du reste des mortels pour s'abaisser aux séductions de la amour.

— Eh bien dis donc !...

— Le jour où il le découvrira, le théologien devra faire comme ce prêtre dévoyé dont on raconte qu'il fut surpris par le retour d'un mari cocu et qui, dans la chambre nuptiale, prit la position d'une statue du Christ en croix !

14.

— Et alors, mol, que se passe-t-il aujourd'hui ? Quelqu'un t'a noué les aiguillettes ? Tu ne bandes plus ?

Au sommet de la montagne Sainte-Geneviève – colline de la rive gauche de Paris – où Héloïse et Abélard sont venus avec le prétexte d'une leçon en plein air, la nièce du chanoine s'étonne en glissant une main sous la tunique du précepteur qu'elle soulève maintenant jusqu'à la taille :

— Oh, regarde ton vit ! Il se conduit tel un vilain car il devrait être en éveil et il dort ! Quel déchirement, cette découverte !

La fille gourmande de sexe étire entre deux doigts la peau de la quéquette molle, minuscule, et la rejette avec dédain :

— Pff !...

Les amoureux en rient ensemble puis elle interroge la queue :

— Eh, t'es morte ? Regrets éternels ! Oh, on ne t'aperçoit même plus derrière les génitoires. C'est comme si je t'avais égarée mais je te retrouverai un jour. Je retrouve toujours tout.

Alors qu'Abélard allongé reste accoudé dans l'herbe, Héloïse se met à jouer aux osselets avec les couilles vidées. Paume en l'air, du bout des doigts, elle les projette puis tente de les récupérer sur le dos de sa main qu'elle a retournée :

— Gagné ! Ah, perdu. Gagné !...

Et la voilà dorénavant qui s'amuse autrement avec les testicules du plus grand théologien du siècle qu'elle bouscule des phalanges telle une chatte qui jouerait, à coups de pattes, avec deux balles pour les faire rouler sur le gazon.

— Méchancetés de poissarde, commente le philosophe inébranlable (quoique parfois...) en se levant pour rabaisser, sous son épaisse tunique d'automne bordée de menu vair, une chemise de soie écrue brodée à l'encolure et aux poignets.

Tous les deux debout à côté d'un pressoir, du haut de la colline aux flancs couverts de vignes, ils contemplent en contrebas le grand et le petit-pont où s'entassent des maisons étroites par-dessus la Seine. Vue de l'éminence, l'île de la Cité paraît être une forêt de flèches de cloîtres, d'églises, de chapelles, de dômes, de tours, où grouillent trois mille habitants et scintillent les armures étincelantes d'une suite d'écuyers en armes quittant le palais royal de Louis le Gros.

— Bon, on s'en va, la catin? interroge le philosophe amateur de mots mordants.

— Je serai toujours prête à obéir à chacun de tes ordres sauf à celui de mettre un terme à notre amour, répond la douce blonde.

Main dans la main, ils suivent le sentier qui descend jusqu'à un court affluent du fleuve – la Bièvre au bord de laquelle un troupeau de porcs fouillent de leur groin les détritus. Alors que des moines vêtus de bure et allant nus pieds croisent des cavaliers, après s'être demandés : «As-tu soif, ma amour? – Oui, ma amour», les amants poussent la porte d'une taverne où se trouve cloué un rameau buissonnant pour indiquer qu'ici on mêle du pavot au vin nouveau.

Un incendie de romarin brûle dans la cheminée près d'une table encombrée d'une tourte fumante et de paniers d'osier derrière lesquels s'assoient Héloïse et Abélard sur un banc. À l'autre bout de la salle, Malaperte dissimule aussitôt son nez pointu et sa face exsangue entre ses paumes tout en espérant :

— Pourvu que mon maître ne me voit pas. Il doit me croire, comme il me l'a ordonné, en train de nettoyer le boueux bord de Seine devant son appartement.

Trois larrons entourent l'indiscipliné qui leur demande :

— Cachez-moi, Barat le Rusé et Canteleux le Trompeur. Et toi aussi, déplace-toi, Fadet le Petit Fou.

Le premier porte un feutre à longues plumes lui ombrant un œil qui s'allume et s'éteint. Aux rictus d'une joue palpitante collée affreusement à l'os, on devine son goût prononcé pour le jeu et les dés pipés tandis qu'un froid ricanement de haine et de mal gonfle ses lèvres en lourde moue. Bref, un type à se pendre ! Les deux compères ne valent guère mieux. L'un au front bas et dur, cheveux roux coupés ras, poils fauves en barbe, semble spécialiste en fourberies, astuces, leurres. Le dernier éclate d'un rire aigre et idiot mais Abélard, tout à la contemplation d'Héloïse, ne les remarque pas. Celle-ci s'amuse avec de vrais osselets, découverts dans un panier, tout en commentant :

— Ces os d'agneau sont aussi secs que tes génitoires ! Qu'est-ce que tu vas prendre... à part moi bien sûr ?

— S'ils en servent ici, une eau de gingembre.

«Ah, revoilà mon obsédé!» s'enthousiasme la charmante scolare insouciante tandis qu'au même instant, près du presbytère, la servante de Fulbert frappe devant le chanoine une lessive à grands coups de battoir :

— Les draps d'Héloïse!... C'est tous les jours, ma parole, qu'il faudrait les laver, raccommoder, repasser.

— Oh, ben non, pas si souvent quand même! s'offusque l'homme d'église, mains sur ses hanches fort rondes.

— Ce n'est pas comme ceux du précepteur, poursuit la domestique. Depuis qu'il loge au presbytère, je ne les ai pas nettoyés une seule fois.

— Oh ben non, plus souvent quand même, Denyse! Il vous faut aussi penser à changer ceux du maître, s'indigne le chanoine.

— Pour quoi faire? Ils sont quasiment neufs. À croire qu'il n'a jamais dormi dans son lit...

— Que dites-vous, Denyse?

— En revanche, ceux d'Héloïse!... J'aimerais bien savoir ce qui les froisse, tache tellement que je ne sais jamais si je vais finir par les ravoir. Lorsque le matin je les bassine avec des tisons et des graines de coriandre pour les purifier, que le soir je glisse, dans une poche de fourrure, la pierre plate chauffée entre les cendres pour assécher cette couche dévastée, je m'interroge...

La lavandière, tapant ferme et dru sur le linge, prend plaisir à tortiller l'embrouille, à pêcher en eau trouble, à parler des gens dans leur dos :

— Chanoine, pendant qu'ils sont partis, disons... étudier sur la montagne Sainte-Geneviève, vous devriez monter dans la chambre de votre filleule afin de vous faire une idée par vous-même. Allez, oups, ou je vais tremper votre soutane. Du vent ! Vous me gênez, là, pour étendre la literie sur le fil.

L'ecclésiastique, parvenu en haut des marches du sombre escalier à vis, suit le conseil de la grosse soubrette et ce qu'il découvre, après avoir franchi la porte de la chambre de sa nièce, le stupéfie :

— Quel bordel ici !

Les oreillers crevés comme par une guerre et perdant leurs plumes ont été jetés partout et le matelas qui a glissé pend au bord du sommier près d'une colonne déboîtée sous le ciel de lit d'où pleuvent, en lambeaux de toile déchirée, les étoiles peintes en doré.

— La pauvre orpheline, quand elle dort, doit encore tellement cauchemarder qu'elle bouscule tout autour d'elle !

Sur la mosaïque du carrelage représentant la terre et les mers, les appareils métalliques, l'astrolabe, sont brisés.

— Bien la peine de les lui avoir achetés !

Fulbert ouvre la fenêtre pour aérer car...

— ... Ces effluves, mon Dieu, ces effluves !

Ça sent là-dedans le foutre de vieux bouc en rut, la vulve de petite truie en chaleur, la sueur et d'autres odeurs.

— Les jeunes gens ne prennent jamais soin de leur chambre mais, là, quand même...

Il découvre sur une table de chevet des racines potagères :

— Ah, ben, les voilà mes carottes, les plus grosses, qui avaient disparu du cellier. Elle mange la nuit ?

Il s'étonne aussi qu'au lieu d'être uniformément blanchâtres elles soient en partie souillées d'un brun suspect qu'il renifle en grimaçant :

— Ce n'est pas un parfum de glaise, on dirait une odeur de m... Le précepteur d'Héloïse devrait aussi lui apprendre à faire le ménage. Ce ne serait pas du luxe enfin, bon, il écrit de jolies chansons...

15.

— Détraquée !

— Oh, merci !

Tiens, voilà la lumière d'un autre matin interloqué qui s'immisce dans la chambre de la nièce du chanoine ! H & A sont nus, face à face, accoudés sous le ciel de lit crevé à même des draps déchirés. Héloïse pose ses talons sur les épaules d'Abélard qui grommelle et, de ses pieds, elle rabat les pavillons d'oreilles du philosophe vers elle pour savoir :

— Ma amour, tu m'écoutes ? T'es fâché ?

Lui s'empare des gros orteils de sa belle qu'il écrase au creux de ses tympans pour ainsi les boucher :

— Je ne t'entends plus ! Je ne t'entends plus, je te hais !

— Mais moi aussi je t'aime à la folie, qu'est-ce que tu crois ?...

Ce que la scolare a infligé à son précepteur dès le réveil, on l'ignore. Il devait y avoir dedans plus de folie que de sens mais tout cela dut être aussi tellement mêlé d'amour même si Abélard grogne maintenant devant Héloïse qui s'esclaffe :

— Oh, j'aurais blessé monsieur dans sa virilité ? Lui qui, hier soir, m'avait priée de rester tranquille et de veiller à ne point troubler le déroulement de son cours particulier, affirmant que les châtiments corporels faisaient partie intégrante de mon éducation, que je ne devais finalement pas détester certaines manifestations de violence, que ses coups m'excitaient probablement, que lorsqu'il me battait, ma jouissance s'en trouvait sans doute encore accrue ?...

— C'est toi, la féroce bondissante et folle et toujours prête à tout carnage, à tout dévastement, à tout. Il me faudrait te gifler.

— Vas-y, mais je te rends la pareille.

Du bout des doigts, il lui balance une petite baffe sur la joue. Elle se redresse pour lui retourner une énorme torgnole en s'enthousiasmant :

— Oh, c'est bien, ça !... En plus, il y avait longtemps que j'avais envie d'en coller une à quelqu'un !

— Je te hais !

— Mais moi aussi je t'aime à la folie, qu'est-ce que tu crois ?...

Abélard, enfilant sa chemise brodée, quitte aussitôt le lit pour aller graver dans la tablette de cire dénichée sur le pupitre de la scolare (qui n'a pas beaucoup servi depuis quatre mois, je parle bien sûr du pupitre) ce dialogue original qu'ils se sont déjà lancé deux fois :

— C'est beau... On dirait le refrain d'une rengaine qui pourrait devenir populaire. Je te hai-ai-ais ! Mais moi aussi-i-i-i je...

Tout en le creusant dans la pâte molle, sur un air qu'il juge pourtant gracieux et croit léger, il meugle si faussement qu'Héloïse grimace en écoutant ces stridences inaudibles :

— Précepteur, taisez-vous car je suis la malheureuse dont l'âne a été dévoré l'autre jour par le loup et, quand je vous entends chanter, la voix de mon pauvre animal me revient à la mémoire.

— Salope ! Déjà que je vais arriver à l'école avec la marque de tes cinq doigts sur une joue... À ce soir, conclut-il en finissant de se revêtir, putain à petites mamelles molles et si vaste vulve prévue pour des poulains...

— Je te hais ! s'offusque l'élève indignée, lui jetant au visage un vase qu'il évite.

— Mais moi aussi je t'aime à la folie, qu'est-ce que tu crois ?... En tout cas, si je meurs bien avant toi comme je l'espère, je refuse que tu te fasses ensuite baiser par Anselme, ni par Roscelin, ni par...

— Ah bon, mais alors il me restera qui ?...

— *Je te hais !*

— *Mais moi aussi je t'aime à la folie, qu'est-ce que tu crois ?...*

Et le maître de l'école Notre-Dame part. Le soir venu, après les études, les scolares, qui d'habitude à cette heure-là livrent à la postérité des chansons de corps de garde en allant vers les prostituées, reprennent un refrain déjà ici lu :

— *Je te hais !* fait l'un à son voisin qu'il bouscule du doigt.

— *Mais moi aussi je t'aime à la folie, qu'est-ce que tu crois?...* réplique l'autre en pivotant sur lui-même.

Et la comptine ouverte au vent vole partout sur l'île de la Cité et même sur les lèvres fredonnantes de nobles dames en riches litières entourées d'escortes armées. Elle arrive jusqu'aux oreilles de Fulbert qui rentre chez lui en chantant :

— *Je te hais!*

«*Mais moi aussi je...*», se répond-il, dans un joli pas chassé qui fait tournoyer sa soutane de chanoine, avant que de refermer derrière lui la porte du presbytère.

16.

Depuis la chambre d'Héloïse, on entend quelqu'un pénétrer dans celle d'à côté puis venir ouvrir la porte mitoyenne. C'est Abélard en manteau fourré de pelage de loup dont l'odeur sauvage demeure sur sa peau. Revenu d'un cours donné dès l'aube, il diffuse des effluves de bête fauve et s'étonne de l'absence de sa scolare mais, entendant dehors la cloche des exercices sonner tierce, il se rappelle :

— Ah mais oui, nous sommes mercredi matin, jour où elle va se baigner aux étuves... Elle ne devrait plus tarder.

La chambre est fraîche en ce début novembre alors le précepteur rajoute des bûches sur les braises encore rougeoyantes de la cheminée puis, manteau jeté pardessus des manuscrits grecs et latins abandonnés sur le pupitre de l'élève, il attend, assis à même le coffre en bois peint. Du givre paillette aux feuilles de parchemin translucide de la fenêtre et il perçoit un éclat de voix du chanoine au rez-de-chaussée :

— Ah, Héloïse, te voilà ! Vas-tu finir par ranger ta chambre ainsi que je te l'ai moult fois demandé ?

— Oui, mon oncle.

— Promis ? Je te préviens, je vérifierai.

Petits chocs légers et espiègles de semelles en bois contre la pierre des marches de l'escalier, la blonde mignonette au corps nouvellement oint et parfumé entre dans son domaine où elle renifle et fait semblant de ne pas remarquer Abélard. Sans un mot, elle retire son long manteau épais de soie vineuse puis sa robe et s'allonge nue à plat dos sur le lit démoli où elle allume, à la flamme d'une chandelle, une pipe emplie de graines de lavande qu'elle se met à fumer en écartant les jambes.

Abélard se lève. Muet également, devant la couche et les cuisses ouvertes, il remonte haut sa tunique face à la belle allongée qui devine ses intentions (ce n'est pas très compliqué) mais simule la panique :

— Dieu du ciel, je suis perdue ! Je me disais aussi, cette puanteur de bête sauvage... C'était donc celle d'un vieux loup qui a jeté sa peau sur mon pupitre pour agresser la tendre agnelle innocente que je suis. Si, monsieur le loup, mon parrain vous découvrait ainsi devant sa filleule, génitoires boursouflés de désir, il deviendrait capable de tout. Il est comme moi. Nous sommes entiers dans la famille. Mais bon, enseignez votre perfidie puisque vous êtes joli...

— Aaah..., admet le maître en se penchant pour avancer sur les mains de chaque côté des jambes de la ravissante qu'il suit des chevilles jusqu'aux genoux, il est vrai que j'ai une telle réputation et une telle grâce que je pense n'avoir aucun refus à craindre quelle que soit la femelle que je voudrais honorer de ma amour. Aaah!... Je trouve effectivement, au reflet rapide des vitres, que mon charme me rend beau parfois même si à d'autres moments, quand je m'arrête devant un miroir d'étain, je me dis : «Oh, là, là...» Sinon, que vous apprendre? *Projiciantur tabule; queramus quid si ludere cum virginali specie!* (Qu'on jette au loin les tablettes; cherchons plutôt comment jouer avec l'espèce féminine!), poursuit-il en continuant d'aller à pas de paumes le long des cuisses, puis du bassin de la scolare qui peut ainsi mieux voir pendre les testicules :

— *Nostra sunt Domine!* (Ils sont nôtres, ô Seigneur!)

— *Nostra sunt crimina* (Ces crimes sont nôtres), réplique Abélard, paumes plaquées maintenant de chaque côté de la poitrine de la jolie et continuant d'avancer.

La tentation charnelle qu'un incendie enflamme ne cessant de brûler au fond du corps de ces deux dingues de sexe osant tout, que vont-ils encore se faire d'inouï? Alors que le précepteur a dorénavant les épaules à la verticale des siennes, l'élève, de ses jambes qu'elle replie, lui enlace tendrement les reins et se laisse pénétrer :

— À présent que tu es là, bouge, réclame-t-elle. *Amos, amas. Sit nobis frequens lectio* (J'aime, tu aimes. Répétons-en souvent la leçon).

— *Tu virgo, vir ego* (Toi la vierge, moi l'homme). Enfin, toi, *virgo*..., relativise le maître en démarrant un lent va-et-vient au bord des grandes lèvres puis s'enfonçant.

— Tu es mon mâle alors baise ta femelle, souffle la belle en caressant de ses bras le dos nu du théologien qu'elle saisit ensuite par les fesses pour imposer son rythme. Tu es le premier homme, je suis la première femme...

Tels Adam et Ève, ils s'embrassent à pleine bouche, lui, serrant dans un poing les longs cheveux blonds propres, tout à l'heure dans une étuve publique, lavés au jus de bette et feuilles de noyer.

— Je t'aime !

— Je t'aime !

Il écrase du mouvement de ses hanches la motte molle qu'il malaxe d'avant en arrière et aussi en boucle pendant qu'Héloïse commence à gémir. C'est pour eux plus que beau, c'est merveilleux, ils n'en reviennent pas :

— Oh oui... Je te sens partout. Que nous sommes ensemble ainsi...

C'est de la *fine amor*, du parfait amour qui les tient dans son filet :

— Ma amour...

— Ma amour...

Ils se croient partis en voyage dans l'espace parmi les étoiles.

— Oh, mais c'est bien comme ça... Pourquoi ne l'a-t-on jamais fait avant ?...

Loin de leurs scandaleuses acrobaties habituelles pour tréteaux de foires, ils ont découvert la position qui sera plus tard dite du missionnaire. Il était temps. Il était d'autant plus temps que la porte de la chambre vient de s'ouvrir en grand sur Fulbert !

Putain de *coitus interruptus !...* Cela produit dans le crâne d'Abélard un petit claquement sec qui l'assourdit. C'est à peine s'il entend ensuite la voix soudain très lointaine du chanoine et des salamalecs absolument ésotériques vomis envers lui :

— Ainsi que Vénus et Mars !... avec vos reliques à l'air ! Comment avez-vous pu, maître ?!... J'ai introduit le loup dans la bergerie !... Vous forniquiez ma nièce sous mon propre toit !... Passible d'excommunication !... J'aurais dû écouter les voisins à qui je reprochais de chauffer la cire... Naïf que je suis, ridiculisé, ne soupçonnant pas mon infortune et vivant dans la sérénité tandis que vous, chez moi !...

L'homme d'église plein d'éclairs, de fracas, et le monde s'effondrant sous ses pieds, dilate jusqu'à la déchirure les paupières bombées de ses yeux de poule :

— Goupil !... Votre main qui devait tourner les pages a écarté les voiles dont Héloïse s'enveloppait ! Vous vous êtes employé à séduire une petite orpheline sans expérience ! Sortez !

— C'est fait, répond le précepteur toujours sur l'élève.

— Sortez aussi de mon presbytère !

Pendant qu'Abélard se lève, ses organes génitaux bien en vue, dans la chambre résonnent d'autres propos discourtois émis par Fulbert appelant aussi à l'aide sa domestique restée en bas :

— Deny-y-yse!... Vite, ma décoction d'agripaume souveraine pour le cœur! Il faut que j'avale aussi mon élixir et mon vulnaire! L'enfer hurle dans mes sens!

Abélard, enfilant sa tunique à la hâte puis le manteau en pelage de loup, traverse tout cela dans une sorte de somnolence irréelle. Pourtant célébrissime maître dialecticien, enseignant l'art de la réplique au monde entier, il ne sait comment se justifier sinon par :

— Il n'est rien que je ne connaisse au ciel ou sur terre sauf moi-même...

Alors que le parrain s'en prend maintenant aussi à la filleule d'un ton vindicatif et laid comme jamais – propos vipérins non nourris de sous-entendus mais de menaces précises : «Toi, dorénavant, tu ne verras plus personne. Installée sous le manteau de la cheminée à jouer du rouet, tu fileras ta laine et tes jours, tu formeras ta pelote jusqu'à ma mort sans plus rien attendre de cet homme!» – Abélard s'en va.

Bousculé sur le palier par la domestique apportant en catastrophe les médicaments réclamés, il se retourne vers Héloïse et lit sur ses lèvres muettes : «Mon amant, ma amour, ma raison, ma déraison, je t'aime! Je serai tienne jusqu'à mon dernier soupir!...»

Dans la ruelle, celui dont on peut supposer qu'il a quand même de moins en moins de chances de devenir pape déplore :

— On a beau être philosophe, la situation est particulière.

Il passe devant de bons vivants lançant leurs dés dans une taverne embuée, contourne un cochon qui remplit son rôle d'éboueur, croise des chiens errants, chien errant lui-même mais constatant malgré tout en logicien affûté :

— J'ai eu raison de conserver mon appartement en bord de Seine. Malaperte va devoir se remettre à l'ouvrage si je le retrouve celui-là, toujours disparu ou fourré avec je ne sais qui !...

Puis il pleure :

— Héloïse...

17.

— Héloïse !

Tout dort dans l’île de la Cité sauf le maître de l’école Notre-Dame qu’un rayon de lune baigne en la ruelle du presbytère et qui appelle, retenant sa voix quand même pour cause de couvre-feu qui l’isole à cette heure nocturne et silencieuse.

— Héloïse !...

Tout repose dans l’habitation en bois et torchis du chanoine sauf, à l’étage, la braise qui luit encore à l’intérieur de la cheminée située près du lit réparé où sommeille la nièce.

— Héloïse ?!

Puisqu’elle ne l’entend pas, il lance maintenant des petits cailloux venant heurter le parchemin huilé de la fenêtre de sa belle que cela finit par réveiller.

Elle se lève puis, portant une chandelle parfumée à l’ambre gris allumée contre un tison, dans sa chemise de nuit allant et venant comme une marée sur les mers en céramique du carrelage, elle va voir ce qui se passe dans la venelle.

En bas, Abélard l'entraperçoit, jolie et si lointaine car masquée par la peau de mouton translucide de la fenêtre qu'elle ouvre, faisant ainsi mieux apparaître une tête blonde et de grâce pâmée, un peu putain avec sa beauté pâle et qui s'exclame en chuchotant :

— Mon amoureux, tu as osé venir malgré le couvre-feu devant cette demeure où on te tient pour un lépreux !...

Lui, désolé, décrépit, poudreux, sale visqueux fêlé, contemple la presque enfant dont on peut comprendre qu'il s'éprenne toujours en rêvant lorsqu'il parvient enfin à dormir. Il lui envoie, haut, l'extrémité d'une corde qu'elle attrape au vol en se penchant dangereusement puis, d'un mouvement circulaire du doigt, il lui fait comprendre de laisser redescendre ce bout après l'avoir passé par-dessus la barre horizontale du balcon.

Les deux extrémités de la corde maintenant entre ses mains, il en coulisse une à travers un trou creusé dans l'angle d'une tablette de cire et forme un nœud marin pour la retenir.

À l'aide d'un stylet en os de poulet taillé, il grave la pâte molle d'une question : *Ça va ma amour ?*, puis fait remonter la tablette dans les airs en tirant la corde qui dessine dorénavant une grande boucle allant de la rue à l'étage.

Héloïse, après avoir cherché longuement (forcément) son propre stylet mais ayant fini par le retrouver, utilise la tête arrondie de l'os de volaille pour lisser l'interrogation et demander à son tour sur la tablette qu'elle fait ensuite redescendre :

— *Et toi surtout, ma amour?*

Leur séparation révèle un sentiment qui les dépasse. Chacun des deux, par écrit, déplore l'infortune de l'autre plus que la sienne. À la dérobée, et grâce au stratagème d'Abélard, ils peuvent au moins échanger quelques mots. À tour de rôle ils labourent la cire, se lâchent bientôt comme lorsqu'ils étaient au creux du même lit. Obscénités éphémères vite griffonnées et sitôt envoyées par un téléphérique d'agaceries sexuelles qui fait tour à tour bander et mouiller.

— *De mes doigts, je touche ta...*, écrit la filleule plus chaude que braise.

— *Oh, ma ribaude, je te mange la...*, répond le récipiendaire.

Puis l'adorable nièce séquestrée par son oncle, qui l'a frappée de colère à coups de tisonnier – ce fut un dur moment et elle en frissonne encore –, feint maintenant une gaieté sexuelle sachant qu'elle allégera son ancien précepteur. Sur la tablette, qui fait la navette, s'écrit et s'efface :

Bonne nuit, celle qui fut ma petite scolare excitante.

Ton vieux

—

Bonne nuit, mon grand troubadour adoré.
Ta putain d'amour

—

... et ma garce chérie aussi.
Signé : Ton saint chaste qui, lui, ira bientôt au paradis alors que toi, beaucoup plus tard, c'est en enfer que tu te feras labourer le mal-joint par de gros vits! Et ne me réponds pas : « Mh, ouiii!... »

—

Non, c'est toi d'abord qui devras venir te masturber sur ma sépulture, obsédé. Tu y projetteras ta semence, pervers! L'œuvre de Dieu, l'opus Dei, aurais-je dû écrire...

—

Ça, c'est sûr que, dans ce cas, les fleurettes de ta pierre tombale vont en prendre des giclées! Elles ouvriront alors leurs pétales comme les grandes lèvres de ta chatte. J'espère qu'elles auront le même parfum.

—

Si c'est toi qui succombes avant moi, je veux être là pour t'enlacer.

—

D'accord mais défense d'en profiter pour me glisser une carotte dans le cul.

—

Pas une mais la botte entière puisque tu aimes ça, détraqué!

—

Je suis bien obligé de subir tes perversités.
Je t'ai dans la peau, vicelarde. Il y a des fois,
tu me fais honte. Je devrais te châtier
sévèrement... puis te sodomiser.

—

Encore ?!

—

À nos obscénités !

—

À notre délire, ma amour ! Qu'on le vive toujours !
Et que dans mille ans, tous les amoureux
du monde se le racontent encore !

—

Respect à ces instants les plus fous de la frénésie. Leur vice est juste à point pour moi. Et maintenant, allez dormir, fermer les yeux, pauvres âmes, avant que Fulbert ou les gardes vous surprennent...

Alors qu'Abélard, dénouant la corde puis la tirant pour la faire glisser et tomber tout entière dans la ruelle, s'extasie, tête levée vers la fenêtre et à voix feutrée :

— Il est bien, mon système, non ?

— Oui, mais je n'entends pas assez ta voix, regrette Héloïse qui lui lance un rouleau de parchemin avant de souffler sa chandelle.

Sous la lumière de la lune, le philosophe ramasse la feuille en peau de mouton maintenue enroulée grâce à de longs cheveux blonds noués. Il défait ce ruban capillaire qu'il conserve entre les doigts tout en étalant le parchemin sur lequel il découvre ceci qui y est peint :

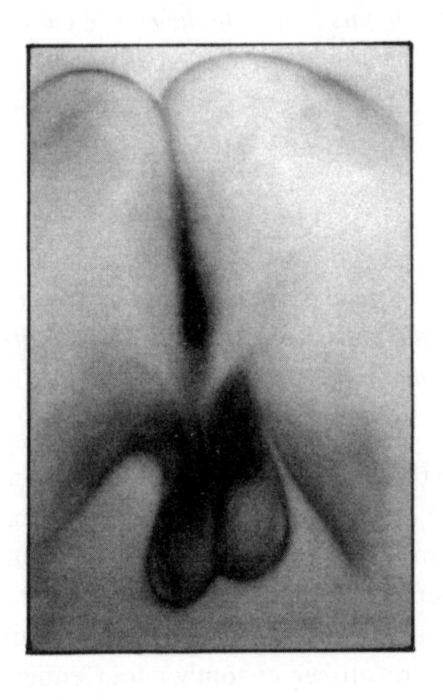

18.

— En retournant chez toi, hier soir, as-tu admiré les précieux joyaux, inestimables bijoux, ta paire de couilles qui pendent ma amour ? Je les ai peintes, hélas de mémoire, mais elles sont magnifiques, hein ?

— C'est toi qui embellis les choses, ma amour.

En haut d'une échelle plaquée contre le mur près de la fenêtre close à l'étage du presbytère, afin cette fois-ci d'être mieux entendu par Héloïse, la voix d'Abélard révèle à sa belle que tout en lui parlant, d'une main, il est en train de se masser les figues de l'autre côté de la vitre en parchemin huilé.

— Tout est glacé dans l'univers. Moi seul, je brûle. Ce sont mes génitoires qui abritent le brasier...

— Retiens-toi de l'autre main à l'un des barreaux pour ne pas risquer de tomber ma amour, conseille la jeune fille au théologien.

— Et toi, plaque une paume sur ta chatte, ma amour restée sous les draps. Là, malaxe ta motte.

La voix du philosophe tinte grave et basse. C'est le velours d'une belle eau qui passe et autour d'Héloïse fusent des craquements de bois de lit car elle suit la recommandation du maître, pris d'une intention des plus cocasses :

— Glisse deux doigts tendus entre tes grandes lèvres de haut en bas. Fais des va-et-vient puis enfonce-les dans toi ! C'est mon baston à un bout qui te baise ! C'est moi qui te le mets !

Un coin de ciel s'ouvre alors comme une porte dans le crâne d'Héloïse d'où sortent des murmures très sourds venus de tous côtés et qui compensent la privation des jouissances dont elle est dorénavant frustrée :

— Là, à cause de toi, me revoilà dévorée par la fièvre de la luxure ! Mes instincts recommencent à parler...

Elle pétrit sous sa chemise de nuit un endroit où rôde un désir devenu fou. Toute fleur, tout fruit, toute viande, on dirait que son regard se couvre d'une vapeur quand elle commence à se tordre ainsi qu'une couleuvre sur la braise en entendant :

— Tu es une femelle alors fais-toi besogner ! Vas-y ! Vas-y ! Mon vit est dur, je bande dans toi, te hurtebille. Tu sens mes reliques battre contre ton cul. Vas-y ! Vas-y !

Il y a quelque chose en la filleule comme un chant retrouvé et en haut de ses cuisses s'éparpille le nom de celui qui envahit ses rêves et ce qu'il ose réclamer :

— Fous-t'en trois. Tu es une pute. Allez, ramone !

Ô, le langage des doigts d'Héloïse aussi en ce lit de plumes où les mots d'Abélard se vautrent :

— Vas-y! Ne pense qu'à toi. Tu n'as plus de nom, plus d'histoire. Tu n'es plus rien d'autre qu'un mal-joint qui baise. Vas-y!...

De ses deux pognes, le grand faquin qui se permet tant de facéties se retient aux deux montants de l'échelle et s'oublie totalement pour n'être qu'avec elle qu'il harcèle d'un débit feutré mais saccadé et de plus en plus accéléré pour mettre en feu la tête de sa pauvre cible :

— Tu es une pue-la-bite enfilée que j'attrape par les cheveux, une traînée qui adore se faire labourer!

Son propos en paroles si peu saintes s'épanche et, elle, ce qu'elle cuit dans son jus alors qu'il l'entraîne à :

— Jouis, ma amour, jouis!...

Contorsions du corps. Il y a infiniment plus dans les dires de ce déviationniste érotique que les oreilles d'Héloïse sont capables d'en entendre. Elle jette les dés de son cornet, écarquille des yeux de folie et de rêve. S'il n'y avait le parchemin huilé, Abélard pourrait la contempler presque mourante, formant une arabesque d'un bras qui se tord entre ses jambes :

— Aaah!...

Elle jouit, gueule. Bientôt des bruits de sabots cognent sur les pierres de l'escalier et l'on entend la voix de Fulbert qui ouvre en grand la porte de la chambre de sa nièce en nage :

— Ah, je croyais que tu n'étais pas seule! Je t'ai entendue crier. Ça va?

— Oui, oui, mon oncle. J'ai dû faire un cauchemar...

— Un cauchemar ? s'indigne le philosophe dehors et derrière la feuille de mouton translucide.

Le chanoine redescendu, rassuré après avoir fermé la porte, Héloïse chuchote vers la fenêtre close :

— « Voix magique », tu es doué. Moi, je ne saurais pas te dire des choses pareilles qui font un tel effet...

— Mais si, s'embue le parchemin huilé.

— Mais non. Je n'aurais pas les mots. C'est toi, le dialecticien. C'est toi qui enseignes comment convaincre. Moi, j'agis ! Du reste, je suis enceinte.

Abélard manque d'en glisser de l'échelle :

— Hein ?! Comment ça se fait ?

— Comment ça se fait... Il est tombé du ciel, d'ailleurs il s'appellera Astrolabe.

— Astrolabe ? Pas le nom d'un saint mais celui d'un instrument servant à déterminer la hauteur des astres au-dessus de l'horizon ?

Le disputeur ne sait plus quoi dire. Ça les lui coupe. Au bout d'un temps, il finit quand même par demander :

— As-tu gardé ta robe de religieuse du couvent d'Argenteuil ?

— Oh oui, sûrement. Bien que je ne me souvienne plus où je l'ai rangée, je devrais la retrouver mais pour quoi faire ?

19.

— Dans quoi m'entraînes-tu encore ? s'inquiète Héloïse qui enjambe rapidement sa fenêtre pour descendre le long de l'échelle tandis qu'Abélard, d'en bas, en profite pour reluquer les jolies fesses nues de sa belle sous une robe de religieuse. Et toi, pourquoi te voilà tête presqu'entièrement dissimulée par le capuchon d'une soutane d'abbé, la raison de cet accoutrement ?

— Dépêche-toi. Le soir tombe et il faut qu'on sorte de la ville avant le couvre-feu.

— Quitter l'île de la Cité ? Mais pour aller où ?

— Au bord de la Bretagne, chez ma sœur, au Pallet, près du manoir paternel. C'est là que tu feras tes couches. Petit-fils de seigneur, Astrolabe aura droit au blason familial chargé d'une brisure, la barre de bâtardise.

— C'est folie, ma amour !

— Marche à mon côté et fais mine d'égrener ton chapelet.

— *Quid plura ?* (Qu'ajouter ?), panique la future jeune mère transie d'angoisse.

— J'ai des sols dans mes aumônières, un morceau de lard, du fromage. Travestis en religieux, on aura moins à craindre les détrousseurs.

Ils croisent des scolares éméchés qui s'interpellent en diverses langues étrangères. L'un d'eux chante :

— *Tu fais, d'un regard, s'évaporer en nuage le niveau d'eau de ta clepsydre, oh, Héloïse !...*

— Je les retrouverai en cours dès mon retour du Pallet où je vais devoir te laisser seule pour mettre bas aux premières cerises, confie le maître que ses élèves n'ont pas reconnu.

Les deux amoureux déguisés longent hâtivement des ateliers, passent précipitamment sous une halle où Héloïse prend peur :

— Mais, ma amour, si tu reviens ici, songe à la réaction extrême de mon oncle ! Ses cheveux se dresseront d'une façon féroce et paraîtront des crins de diable. À la découverte de mon enlèvement par toi, il va tomber en démence, chercher quelles embûches terribles te tendre, quel mal atroce te faire, te tuer peut-être !

— Non, il ne me tuera pas car il redoutera que sa nièce adorée subisse le même sort puisqu'elle sera dans la famille de son ravisseur.

— Oui, mais s'il te faisait énucléer ?

— Œil pour œil, il aura peur que mes frères agissent de même sur toi en représailles. Les Bretons ont la réputation d'être sauvages. Cela joue pour moi. Je ferai avec...

Le faux abbé crève les craintes de la fausse nonne telles ces bulles de savon sur lesquelles il suffit de souffler pour les détruire alors, comme une odeur s'évapore, Héloïse n'y pense bientôt plus que vaguement mais à présent se demande :

— On va aller jusqu'à l'océan à pied ?

— Un mulet nous attend au début de l'ancienne voie romaine qui mène à Orléans. Ensuite, nous longerons la Loire pendant des semaines jusqu'à son embouchure vers Le Pallet. On changera de monture dans les hospices, hôpitaux routiers, et les maisons-Dieu où nous ferons des haltes.

Devant eux et se dirigeant vers le Petit-Pont, une nuée de pèlerins en robe de bure et gourde en bandoulière clament des cantiques derrière des bouviers qui poussent des bœufs affolés.

— Accélère le pas en chantant toi aussi, Héloïse, et collons-nous à ce convoi pour éviter d'attirer l'attention du guet et qu'on nous réclame un sauf-conduit que nous n'avons pas.

— *Il marche avec moi mon sauveur, mon roi!... Il me dit que je suis à lui! Il est mon soutien, il est tout mon bien, mon salut, mon divin appui!* gueule dans un parfait latin la filleule en cavale et paumes jointes près de celui qui la kidnappe à son parrain.

Plus tard, presque à la nuit sur la route d'Orléans, Héloïse couverte du lin d'un habit complet de religieuse est assise en amazone à dos de mulet derrière la soutane d'Abélard à laquelle elle s'agrippe fortement car ça va vite.

Afin de ne pas risquer d'être rattrapé par des cavaliers qu'aurait déjà alerté Fulbert, le grand équidé hybride à robe baie et naseaux étroits, couilles uniquement là pour la déco, souffle beaucoup en dépassant des marchands soucieux d'écus qui tirent le licol d'ânes alourdis de coffres trop remplis. Le mulet des fugueurs double même un vendeur d'oiseaux dont le cheval, pourtant au trot, est envahi d'une montagne de cages légères dans lesquelles remuent des plumages de toutes les nuances et d'où sortent des chants inconnus.

Puis les amoureux fuyards sont bientôt seuls sur la voie romaine alors que ça va être la nuit noire. Les fleurs des eaux referment leurs corolles. Là, c'est le bond d'un chevreuil et des lièvres qui détalent. Une belette au corps tors se cache parce que des loups font luire leurs yeux dans l'obscurité complète.

Héloïse est maintenant devant sur la monture, jambes de chaque côté à la manière des hommes, ce qui a pour effet de remonter sa robe sacerdotale. Enceinte sous son habit religieux qu'il retrousse jusqu'aux reins, Abélard la trouve bandante.

Elle a dans la tête des théorèmes de géométrie concernant la course des astres, comètes, qui piquettent le ciel. Dorénavant, elle se penche et, Astrolabe en son ventre, enlace le cou du mulet, regarde la nuit étoilée :

— La vue est belle...

Lui, derrière, soutane relevée contre sa poitrine, ne contemple que le cul fluorescent d'Héloïse et son vit qui l'enfile en cadence au rythme des pas saccadés du mulet :

— Ah oui, la vue est belle !

20.

Sous un épais ciel gris comme on en voit souvent en Flandre, dans cette ruelle de l'île de la Cité, la cloche d'un oratoire sonne matines. Après que le son du bronze a retenti, une articulation d'index d'homme frappe contre le bois d'une porte que Denyse vient ouvrir. Assis derrière sa domestique, Fulbert n'en revient pas lorsqu'il découvre le visiteur :

— Quoi, vous ici ? Comment osez-vous ?!...

L'exclamation du chanoine semble le cri lointain d'un peuple épouvanté, victime d'un crime irréversible. Il a dans les bras des menaces et des gestes de mort. De sa gorge jaillissent un orage de colère, un tourbillon d'injures, et une question essentielle :

— Où se trouve ma nièce ?

— Chez ma sœur, près de Nantes, où, à l'heure actuelle, elle doit être en train de faire ses couches.

— Quoi ?! Vous l'avez engrossée en plus ?! Oh ! Oh ! Oh !...

Sur un siège muni de lanières de cuir entrecroisées, l'ecclésiastique suffoque, grimaçant à la manière d'un singe et pousse des braiments. Il ressemble à un diable de vieilles enluminures avec des ors au fond. Sa rondelette soubrette, devenue surtout son infirmière, se précipite vers de l'élixir de thériaque car elle le sait pris d'une brutale fièvre tierce. Elle lui sert un breuvage contenant du malvoisie et de l'ambre gris. Elle lui plaque sur le front des onguents qu'elle a fabriqués avec des simples tandis qu'il agite en l'air le gros anneau d'or de sa charge à l'un de ses doigts :

— Tout beau, ceci ne se passera pas sans grand dommage !

De la vendetta plein la gueule, parrain capable de tout pour sa filleule, on sent qu'il pourrait, par un art affreux, faire d'Abélard table rase. Aigres cris poitrinaires et soudaine haleine aux effluves ammoniaqués d'étable vers lesquelles arrivent des mouches importunes, ô cette histoire que l'homme d'église doit boire jusqu'à la lie ! Enragé, il écume, menace à tout vent, les poings crispés dans l'ombre et aux yeux des larmes de fiel, comme lorsque la vengeance bat son infernal rappel, mais Abélard pose un genou au sol et déclare :

— Fulbert, je m'accuse d'être entré par effraction dans votre nièce sous votre toit puis de l'avoir enlevée, enceinte de mes œuvres. En réparation, je vous propose de l'épouser.

— Hein ?! Hein ?! Hein ?...

Re-choc psychologique pour le chanoine au bord de tourner de l'œil. Denyse s'en indigne à l'encontre du philosophe :

— Mais vous avez décidé de le tuer ou quoi ?!

Tandis que la domestique masse la nuque très épaissie de l'ecclésiastique avec de l'essence de marjolaine, le maître de l'école Notre-Dame se relève et explique :

— Je fus foudroyé par une passion que je n'avais ni cherchée ni espérée, que j'ai ensuite cru être capable de contrôler et puis en fait... L'amoureux tombé en démence pour votre filleule a supplanté son chaste précepteur.

— Vrai-vrai-vraiment, vous êtes décidé à me donner satisfaction en vous unissant à l'orpheline que vous avez déshonorée ?

— Mon offre ne comporte qu'une seule condition, que ce mariage reste secret pour ne pas ruiner ma carrière car si l'on apprenait que j'avais convolé en juste noces je sombrerais dans l'appréciation des milices cléricales et pourrais alors dire adieu au destin d'archevêque, voire de pape, qu'on me prête.

Fulbert, dubitatif, se frotte la rouge paupière supérieure et bombée d'un de ses yeux de poule :

— L'affront ayant été public j'aurais préféré que la réparation le soit également mais surtout je me demande si un mariage dissimulé est légal. Il me semble que le *Decretum* d'Yves de Chartres prétend l'inverse.

— Chanoine, vous parlez, là, d'un décret fort ancien. Moi, en tant que théologien, je peux vous dire que depuis, Hugues de Saint-Victor a affirmé que ce sacrement, prononcé au su de tous ou en secret, est considéré comme parfait.

— Ah bon? s'étonne le gros ecclésiastique se forçant à ravaler l'écume de sa colère. Dans ce cas j'accepte votre marché, ajoute-t-il après avoir réfléchi.

Le philosophe scrute longuement cet oncle aux espérances noyées sous l'ouragan subi en qui il n'a guère confiance car il lui trouve une hypocrite mine prompte aux complots :

— J'ai votre parole, chanoine?...

— Le droit religieux m'interdit de renier un engagement, tranche l'homme d'église. Quand Héloïse reviendra-t-elle sur l'île de la Cité?

— Puisque nous sommes d'accord, dès ce jourd'hui je vais envoyer mon valet la chercher au Pallet.

21.

— Nous allons nous marier, Héloïse !

— Non, Abélard.

— Quoi ?! Comment ça, non, ma amour ?...

Au second étage d'une maison somme toute modeste en bord de Seine, à l'intérieur d'une chambre au sol garni de tomettes, la fenêtre étroite laisse pénétrer un jour sombre sur un lit où le théologien, seulement vêtu de sa chemise écrue, panique près d'Héloïse nue :

— Est-ce que tu ne m'aimerais plus ?!

— Si, et c'est bien pour cela que je ne désire pas qu'on s'épouse. Le mariage tue la amour. C'est de toi à mes côtés et en moi dont j'ai besoin. Je me fiche du reste et même de notre enfant.

— Tu ne m'aimes plus..., se persuade le philosophe catastrophé, hochant la tête horizontalement.

— Quand, tout à l'heure, ton valet m'a ramenée jusqu'à ton appartement, songeant aux mois écoulés à plus de cent lieues de toi, je me suis seulement demandé : « Comment ai-je pu vivre aussi longtemps sans Abélard ? » le rassure Héloïse.

À même la toison rêche d'une peau de mouton servant de couverture, elle pivote ses jolies fesses douces pour, près d'une paire de ciseaux, dérouler le parchemin représentant les couilles de son mec qu'elle a peintes mais qu'il a délaissées sur sa table de chevet.

— Toi qui as les plus beaux génitoires pendants – comment pourrais-je me passer d'eux ? –, tu n'as pas cloué mon œuvre à un mur de ta chambre ? sourit la filleule qui désamorce toujours ses peines ou angoisses par une plaisanterie. C'est vexant !

— Héloïse, avec ton oncle, en réparation du préjudice, nous nous sommes mis d'accord pour que je t'épouse...

— Ma amour, je ne suis pas une truie que l'on se revend au marché des pourceaux sans lui demander son avis.

Combien cette fille est en avance de presque dix siècles sur son temps et Abélard décontenancé. C'est la première fois qu'elle refuse ce qu'il lui propose. Elle a accepté qu'il la batte, la sodomise, l'insulte (elle-même de son côté ne s'étant pas gênée), mais elle ne veut pas qu'il l'épouse. Pardessus les petits seins tendres de sa belle qu'il caresse, le philosophe embarrassé se penche en proie aux vents néfastes d'un abîme pour avouer également qu'il a exigé de Fulbert que ce mariage reste secret. Héloïse éclate de rire :

— Sitôt sorti de l'église à mon bras, il le dira à tout le monde pour te nuire !

— Il a rappelé que le droit religieux lui interdisait de renier son engagement de confidentialité.

— Mon oncle ne te pardonnera jamais. Aucun dédommagement ne le désarçonnera. Je pressens d'autres sombres desseins naissant dans son âme ulcérée. Ce mariage que tu as proposé deviendrait un piège.

Héloïse plonge ses doigts dans l'eau de rose d'une coupelle et ensuite se lave, comme d'une saleté, les oreilles et le visage. Elle récupère au sol, près de la tunique jetée d'Abélard, sa robe contre laquelle elle s'essuie les mains en demandant :

— Et où irions-nous vivre lorsque nous serions un couple célébré ? Avec notre fils, tous les trois gentiment ensemble dans cette maison ?

— Pour que ce mariage reste secret il sera impossible de faire venir Astrolabe à Paris et, toi, tu devras loger chez ton oncle en attendant de trouver une solution...

— Un grand malheur va nous échoir, ma amour. Entends ma prophétie, articule Héloïse en tremblant comme un oiseau qui grelotte sur un toit.

La gaieté de la filleule, telle une chandelle consumée, hélas est morte. Adossée contre des oreillers, elle en fripe sa robe de soie qu'elle étend sur elle car elle frissonne à travers des sanglots et des larmes :

— Quand bien même il n'y aurait pas eu tout ça, t'imagines-tu me voir la bague au doigt ? Toi, le plus grand philosophe du siècle, ici à ton pupitre avec des braillements de nourrisson à l'étage du dessous et devant naviguer entre tes parchemins et des berceaux.

Socrate aurait-il pu réinventer le monde dans ces conditions-là ?

Elle glisse une main sous la chemise d'Abélard et lui masse les burnes.

— Il nous faut faire un choix et, moi, je préfère rester ta traînée que tu hurtebilles comme et quand tu le désires, même en cachette.

Doucement, elle le branle :

— Tu vas écrire, je sais que tu vas écrire un jour tes réflexions qui retourneront la logique de la pensée humaine. C'est par ton œuvre que tu t'élèveras encore bien au-dessus de la foule. Tomber au rang d'un mari t'éloignerait tellement de ta mission. C'est d'ailleurs pour cette raison que les gens d'Église se soumettent au célibat.

Maintenant, elle lui astique vraiment la nouille.

— Et puis lorsqu'on est marié, on ne s'appartient plus. L'autre a un droit de regard sur la façon dont on use de son propre corps. Je n'aime pas ça. Moi, je te veux libre ! Je préfère la amour au mariage, la liberté à la chaîne.

— Héloïse, j'ai promis...

Alors la nièce, qui aura tout fait pour empêcher cette union, s'empare de la paire de ciseaux posée près du parchemin roulé sur la table de chevet et elle taille quelques poils dorés de la toison pubienne du philosophe qu'elle jette en l'air :

— Je les mettrai dans des petits sachets destinés aux invités qui les lanceront sur nous en criant « Vive la mariée ! », ajoute-t-elle car il lui faut bien rigoler.

22.

Six heures du matin en ce 11 mai 1120, c'est l'heure du froid ennui de la toute fin de nuit d'une Saint-Mamert – l'un des saints de glace qui gèlent, là, les bourgeons des massifs d'ancolies et des iris dont la floraison n'ira jamais plus loin. Au bout de tiges qui n'espéraient que s'étendre, des stalactites de glace sont les pleurs givrés de plantes pétrifiées en plein élan de vie. Seule Héloïse, observant l'effet climatologique par le carreau coloré d'un vitrail, a une sueur chaude qui coule au front. Vapeur à la vitre irrégulière où sont coincées pour toujours des bulles d'air, sa voix s'élève un peu haut perchée à l'intérieur d'une pièce aux murs de pierre où se trouvent cinq personnes :

— Eh bien, partir de chez vous, archidiacre Étienne de Garlande, c'est pour quand ? À la saint-glinglin, aux calendes grecques, la semaine des quatre jeudis, à Pâques ou la Trinité ou pour quand les poules auront des dents ?

— Ma petite impatiente, la cérémonie sera célébrée à l'aube puisque les mariages doivent se dérouler à la lumière du jour mais voilà, c'est bon. On peut y aller.

Ils sortent tous les cinq dès l'aurore à peine pâlissante pour traverser un parvis qui mène vers une chapelle s'étirant dans le ciel vide.

— Elle a l'avantage d'être quasiment privée, donc fort discrète selon la requête du futur marié, se veut rassurant Garlande dont les semelles en bois crissent près de Fulbert. Attention de ne pas glisser. Quel gel, aujourd'hui, hein, chanoine ? À presque un mois de l'été... Regardez ça, cette rose en bouton ne va pas s'en remettre.

— Bah, elle retrouvera le soleil demain.

— Que lui fera puisque aujourd'hui elle aura crevé ?

Près d'Abélard grimaçant d'un air gêné et suivi par son valet qui lui servira de témoin, Héloïse file s'administrer le remède du mariage avec des sanglots dans la poitrine. Son cœur, tel un tambour voilé, bat une marche funèbre. Sous le porche du petit édifice religieux, elle passe entre les scènes bibliques de deux bas-reliefs qu'elle juge d'ailleurs sans talent. Une porte s'ouvre à côté du chœur. L'archidiacre, étendant son étole, dit aussitôt l'évangile et remue un goupillon. La chapelle se couvre d'eau sainte tandis que Malaperte enflamme les cierges de l'autel avant de suivre la suite de la cérémonie en croquant des pastilles. Le chanoine – témoin de sa filleule – assiste à la scène, si haut de mépris. Les deux amoureux, en longs manteaux bruns à capuchon, s'agenouillent sur les dalles devant l'armoire eucharistique alors que tout dort encore en l'île de la Cité. Sous les arceaux romans qui entendirent déjà tant de choses, on perçoit deux réponses :

— Oui.

— Oui...

Héloïse, jolie au front humble et fier, tourne sa tête vers son bel Abélard qui la bouleverse tellement avec son visage si mobile quand il est ému, passant sans cesse de celui d'un gamin qui a fait une bêtise à celui d'un vieillard fataliste.

L'archidiacre en surplis les bénit, tend au maître d'école l'anneau nuptial pour la scolare puisque les maris n'en portent pas. Glissement de l'alliance, achetée par Abélard, d'un diamètre un peu trop large, le long d'un fin annulaire. Frôlement des doigts féminins et masculins. Moins de deux ans après avoir couru vers ce théologien à l'école Notre-Dame, Héloïse est devenue sa femme. Elle vit l'instant comme dans de l'ouate mais son oncle la réveille en l'attrapant par le bras :

— Bon, viens, toi, maintenant. On rentre !

Elle projette sa bouche vers celle de son mari et ses lèvres, pour un baiser, se tendent savoureuses :

— Ne m'oublie pas trop vite !...

Elle est convaincue de ne plus jamais le revoir. Abélard tente d'intervenir :

— Enfin, chanoine, vous pourriez quand même...

— Quoi ? Vous laisser sortir de la chapelle à son bras plutôt qu'au mien ? Je croyais que vous vouliez être discret pour que cette bénédiction ne porte point préjudice à votre renommée !

Et Fulbert d'entrebâiller la porte à la querelle.

— Je vous ai donné mon accord pour que vous l'épousiez, pas pour que vous la voyiez !... Si ça ne vous plaît pas, allez donc vous plaindre en place publique ! Il a quelque chose à rétorquer, le logicien ?

Sitôt dit, le parrain conduit sa filleule dehors où le temps est gris. On dirait la sortie d'un enterrement. Il règne une impression de dégoût remâchant une rancœur comme mâchent des bourgeons gelés trois larrons adossés contre un mur. L'un est sous un feutre à plumes, l'autre en barbe à poils fauves, le troisième pouffe d'un aigre rire idiot. Les reconnaissant, Malaperte, qui sort du lieu saint, se dirige directement vers eux mais Abélard le retient :

— Pourquoi vos trois compères attendent-ils devant la chapelle ? Vous les aviez prévenus ?

— Non, maître !

Sur le parvis – place blême où sanglote le jour –, le chanoine, témoin de l'incident, observe le valet à la face exsangue allant vers ses acolytes puis, par quel bras affreux, il entraîne Héloïse en direction du presbytère. À l'entrée de la ruelle, il aborde des personnes grelottantes et un mercier, remplaçant ses soieries du Levant exposées par des fourrures douces et chaudes, à qui il s'adresse :

— Ah, messire Bellelaine, et puis approchez également vous autres, je viens de marier ma nièce à maître Abélard !

— Oh, ce n'est pas vrai, ce n'est pas vrai ! s'indigne Héloïse. Je ne suis unie à ce philosophe que par le culte de l'admiration...

Elle dément pour sauver la carrière de son amant alors que Fulbert ajoute :

— Et puis ça ne s'arrête pas là, elle a eu de lui un beau petit garçon tout nu qui rit et gazouille !

— C'est faux, c'est faux, je n'ai jamais mis bas !

— Alors vous pensez bien, insiste l'enfoiré, qu'à propos de notre grand philosophe mondial... on peut craindre que les fauteuils des archidiocèses ou le trône de saint Pierre ne connaissent jamais son cul car... montre donc ton alliance, Héloïse ! ordonne le parrain qui ouvre la main gauche de sa filleule. Mais où est l'anneau ?! Ce n'est pas possible, tu l'as déjà perdu ?

En la poussant dans la ruelle, il la bat et, ouvrant la porte du presbytère, il aboie :

— Pour n'être plus dupe, il me faudra être méchant. Tu vas voir, toi maintenant, de quel bois je me chauffe en période de lune rousse !

Aux petites fleurs bleues des prunelles d'Héloïse, se cristallisent des stalactites de glace, larmes gelées.

Abélard, lui, ruine perdue, épave au vague et lent dessein, retourne vers son appartement en longeant la Seine d'une démarche lourde. Il croise des pénitents, marqués d'une grande croix rouge, foulant le sable givré de la plage du fleuve où ont accosté des barques en robe de glaçons. Des corbeaux à l'épais vol noir s'élèvent dans le ciel et une multitude de bateliers, pêcheurs, fondent sur le philosophe qui avait un temps oublié combien il était célèbre :

— Alors, maître, on raconte sur l'Île, et beaucoup de dames en pleurent, que vous auriez convolé !

— Moi ?! Qui vous a chanté ce beau conte ? Je n'ai pas convolé ! Ceux qui propagent cette fausseté sont de fieffés menteurs !

— On a pourtant ouï dire que vous êtes depuis l'aube en puissance d'épouse avec la nièce du chanoine...

Abélard jure que c'est une calomnie. Il ose même nier ses liens avec Héloïse comme s'ils étaient une flétrissure :

— Et pourquoi aurais-je épousé cette fille qui n'a rien pour me plaire ?

— Vous avez composé et écrit plusieurs chansons qui riment avec son nom...

Il affecte d'éteindre les rumeurs qui courent sur leur amour :

— Le monde en vain, de moi, caquette ! Cette fausse divulgation doit provenir de (ah, ces rustiques-là !) Anselme, Champeaux, Roscelin.

— Non, l'avertit un scolare, elle vient de Fulbert dont la voix en ce moment s'échappe du presbytère comme d'un cor tandis qu'il maltraite sa nièce depuis votre abandon de tout elle entre ses mains.

— Quoi ?

23.

Héloïse, bras ballants de chaque côté du corps et au milieu de senteurs d'encens, est revêtue des deux longs rectangles de toile blanche d'un scapulaire. Ce tablier religieux descend de ses épaules aux chevilles, devant et derrière, par-dessus une robe immaculée de nonne. Le cordon tressé d'une ceinture rassemble le tout n'importe comment. Elle est chaussée de sandales en toile. Son sévère costume ensevelit sa féminité. Sous un voile blanc dominant une guimpe lacée derrière la nuque, seul l'ovale de son visage reste visible et paraît étouffer là-dedans alors qu'Abélard, face à elle, justifie :

— Je me devais de t'enlever encore du presbytère de ton oncle ! L'idée qu'il t'y moleste m'était insupportable. C'est ici, dans ce couvent d'Argenteuil où tu fus élevée et où chaque dimanche je te demanderai au parloir après vêpres, que tu seras le plus en sécurité puis on verra. Sois patiente, ma amour. Nous trouverons une solution...

— Viens, dit seulement Héloïse en prenant Abélard par la main.

Cette religieuse temporaire qui n'a pas le crâne couvert du voile noir définitif n'est pas non plus une novice mais simplement une converse. Provisoire pensionnaire laïque, elle ose faire traverser en douce le jardin d'un cloître à son mari pour le conduire vers un bâtiment à l'écart – le réfectoire aux cuisines vides en ce milieu d'après-midi mais dont elle détient la clé car :

— On m'a placée au service de gestion matérielle de l'abbaye pour que je m'y occupe de la réception et du rangement des achats extérieurs servant à nourrir les sœurs.

Sitôt entrée dans cette vaste salle austère où sont servis les repas sur une table étroite mais infiniment longue au centre de l'édifice dont elle a refermé le verrou de la porte, Héloïse s'agenouille devant Abélard pour lui soulever sa tunique et gober ses couilles.

Génitoires mâchés à tour de rôle, le théologien contemple la haute charpente en châtaignier du lieu ressemblant à la coque d'un navire renversé et, sur le mur devant lui, une grande fresque représentant la Vierge faisant face à une croix où son fils cloué semble beaucoup souffrir pendant qu'Abélard, lui...

Il bande dans la bouche d'Héloïse dont les paumes presque jointes vont et viennent le long du vit. Mais voilà bientôt le maître de l'école Notre-Dame qui relève délicatement sa jeune épouse par les épaules pour l'asseoir au bord de la table tandis qu'il s'installe sur le banc en face. Héloïse s'accoude et écarte grand les cuisses où plonge la langue agile du mari (devant Marie ?!)

Quel doux sacrilège. La converse a rendez-vous en plein ciel car son philosophe l'aime tant là comme l'oiseau un nid. Puis ce sont toutes leurs jambes en l'air quand Abélard vient par-dessus elle à même la longue table où leur amour ne respecte pas la sainteté du lieu. On croirait des danseurs semblant voleter – culbutes et grimaces dans le but d'amuser un public.

La nouvelle religieuse se dissipe volontiers et dépouille l'homme de sa tunique pour se donner à son époux resté en chemise de soie écrue. Lui ne s'embarrasse pas de dévêtir cette fille déguisée, tas confus de toiles blanches virevoltantes, tourbe grouillante où, tumultueuse en masse, son visage transpire dans la guimpe. Mes amis, quelles joies font d'elle quelle proie ! Prise d'amour excessif, d'âpre envie, elle mériterait d'être suppliciée à un pilori chrétien. Et l'autre théologien en nage qui s'énerve sur la nonne salace jusqu'à lui carillonner le cul. Aucune obscénité ne rebute ces êtres dessalés dans l'air du réfectoire qui s'empourpre aux reflets de tuerie sous la lumière colorée d'un vitrail.

S'enivrant à la fois le cerveau et le cœur, la nonne fessue et son galant raide-y-met dépitent la Vierge aux mains croisées sur la poitrine.

Puis ce sont des vagues, des vagues, et des vagues et l'amour les dévaste. Ils atteignent l'extase. C'est indépassable. Ensemble, ils ont souvent joui, joué, oui mais là ! Ceci, ils ne le retrouveront pas. Héloïse s'envole, Abélard s'envole, ils ne gèrent plus rien. Ce sont deux corps qui s'envolent. Quand vous avez connu ça une fois, vous pouvez aller dans un couvent car vous ne retrouverez jamais ce monde d'extase. C'est trop fort pour un corps.

Même la Vierge de la fresque murale en renverse sa tête dans un état de béatitude et ravissement, entrouvrant ses lèvres. Héloïse a la même expression. L'une ou l'autre, c'est pareil.

Le crâne d'Abélard essoufflé bascule dans le vide au bord de la table en bois d'olivier. Courts cheveux hirsutes au bout desquels goutte une transpiration, il paraît coiffé de la couronne d'épines. Il ôte sa chemise trempée de sueur dont s'empare aussitôt Héloïse :

— Je veux garder ton odeur !...

24.

Dans le salon du presbytère, s'adressant au valet d'Abélard, Fulbert est hors de lui :

— Un deuxième enlèvement d'Héloïse, c'est trop !

L'indignation du chanoine outré s'en trouve démultipliée :

— Malaperte, votre maître m'a abusé une nouvelle fois ! Ce traître, ne songeant qu'à sa propre gloire, a placé ma filleule en l'abbaye d'Argenteuil pour s'en débarrasser. Sur la tête de Dieu, je veux qu'il lui en cuise !

C'est l'heure où les haines amassées sortent :

— Après un premier enlèvement suivi de la naissance d'un bâtard, voilà qu'il l'enferme au couvent !

L'ecclésiastique s'en attrape les cheveux crépus autour de sa tonsure et dilate ses yeux de poule :

— C'est la ruine de mes illusions ! Je rêvais d'un autre destin pour cette orpheline. Je voulais que jamais elle ne retourne parmi les sœurs où, enfant, elle se sentait étrangère et malheureuse. C'est son idée à lui, pas la sienne ! Aucun esprit de retraite, aucun dégoût des joies du monde, ne l'aurait ramenée d'elle-même dans un monastère. Mais je connais ma nièce. Ainsi que je le suis, elle est tellement entière qu'elle a préféré la gloire de son mari à son propre bonheur! Pas moi. Moi, c'est le contraire et peu importe ce qu'il m'en coûtera, je veux que Pierre Abélard découvre la manière dont j'articule le latin de vengeance!

Foulant les herbes odorantes – menthe, citronnelle – qui jonchent le sol, ce parrain sillonne son salon et déploie dans tous les sens des bras justiciers qui bousculent au passage le valet du philosophe :

— *Plecteretur* (dûment châtié). *Plecteretur*! *Plecteretur*!...

Le nez pointu de Malaperte suit les déplacements rageurs de Fulbert qui s'apoplexie en criant « dûment châtié » dans la langue de la Rome antique :

— Et puis, pour tout l'Empire des Grecs, je ne veux pas être appelé cornard!

Il vocifère tant que, dehors, cela fait sortir, aboyer des chiens en fureur et que sa domestique se précipite vers lui, gobelet d'étain à la main :

— Tenez, chanoine. Buvez vite ce breuvage à la poudre de pavot!

— Laissez-nous, Denyse! ordonne-t-il.

La grosse soubrette partie en tirant la tronche, Fulbert se met à pleurer :

— Certes, bien que je l'aie parfois trop rudoyée, depuis son absence et que je dîne en roi, seul à ma table, mon boire et mon manger sont mornes et tristes...

Mais, après avoir essuyé ses paupières rougies et bombées, la colère lui revient :

— Si j'avais appris plus tôt qu'Héloïse était pleine des œuvres de son précepteur, j'aurais fait l'impossible pour l'empêcher de mettre bas ! Je l'aurais obligée de cracher trois fois dans la bouche d'une grenouille ainsi que le préconisent les sorcières ou l'aurais forcée à avaler des décoctions d'herbes abortives même si cela avait dû me conduire au bûcher. Je lui aurais imposé des exercices très violents. Je l'aurais poussée du haut de l'escalier pour que la chute estourbisse l'enfant pris dans son ventre. Et s'il avait persisté à s'y développer, je serais allé moi-même le chercher avec des pinces pour le retirer d'elle !

On sent en son âme assombrie, à l'évocation de ces actes sauvages, un joyeux reflet sadique et qu'à propos d'Abélard il ouvre comme une vague porte dans un dessein terrible, cet homme pouvant oser tout, à qui Malaperte demande calmement :

— Pourquoi m'avez-vous convoqué, chanoine ?... Qu'espérez-vous de moi ?

25.

Chaude nuit d'été étoilée en l'île de la Cité silencieuse. De par une fenêtre à demi ouverte au second étage d'un immeuble au bord de la Seine, on perçoit la lente respiration régulière de quelqu'un qui ronfle.

— J'ai tout à l'heure mêlé à son souper plusieurs de ces plantes à feuilles duveteuses qu'on cueille au milieu des jachères et qui font dormir..., chuchote, dans le noir d'une cage d'escalier, la voix d'un gars qu'un chandelier illumine maintenant en faisant apparaître son nez pointu, sa face exsangue, tandis que sur le palier il pousse une porte découvrant la couverture en peau de mouton d'un lit.

Il se retourne vers le bâton de cire à mèche enflammée pour admirer la chute scintillante de trois pièces d'or au creux d'une de ses paumes par-dessus laquelle ses doigts se referment :

— Voilà, il est là. Le reste ne me regarde pas. Je vais à présent traverser le fleuve à la nage et on ne me retrouvera jamais.

Alors que le valet acheté redescend les marches, les gueules si reconnaissables de Barat le Rusé, Canteleux le Trompeur, et Fadet le Petit Fou pénètrent dans la chambre, éclairées par le candélabre que porte un gros bras qui le dépose sur la table de nuit près d'un parchemin roulé. La lumière réveille Abélard :

— Qu'est-ce que... ?

Dans une coupelle, des noix, des noisettes, et des raisins secs sont renversés au sol quand les trois larrons se jettent sur le philosophe.

— Mais !...

Le dialecticien ne peut pas en dire plus car sa bouche ouverte est vite bâillonnée par un ruban de tissu qui fait trois fois le tour de sa tête avant d'être noué à l'arrière du crâne. Deux paumes s'abattent lourdement sur ses épaules pour le maintenir à l'horizontale. Abélard remarque à l'un des doigts un gros anneau d'or. Canteleux le Trompeur jette dans la chambre le drap et la couverture en peau de mouton avant que de s'asseoir lourdement sur les hanches du logicien afin d'immobiliser les soubresauts des reins. Cheveux roux coupés ras, front bas et barbe en poils fauves, il s'empare de la cuisse gauche du théologien qu'il relève à la verticale contre sa poitrine pour l'enlacer avec force comme amoureusement. Sous un feutre à longues plumes lui ombrant un œil qui s'allume et s'éteint, Barat le Rusé, agenouillé sur les tomettes à droite du lit, retient de ses deux mains la cheville d'une jambe qu'il écarte jusqu'à déchirer l'aine du maître de l'école Notre-Dame. Celui-ci ressemble alors à une vieille pute offerte avec ses pattes trop écartées entre lesquelles s'approche, en éclatant d'un rire idiot, Fadet le Petit Fou, coutelas au poing.

La lame brille en plongeant puis ne brille plus lorsqu'elle remonte, ensanglantée, après avoir tranché au milieu des poils dorés, comme du pain, ce qui se trouvait là. Ô, ce délit au couteau! Waouh, l'opération sans anesthésie! De quoi crier, pour l'époux d'Héloïse, «Ouille!» s'il n'y avait le bâillon.

Les génitoires sont balancés l'un après l'autre sur les tomettes parmi les noix, noisettes, et raisins secs. Les écorcheurs abandonnent vite le châtré qui, yeux flottants, voit aussi fuir un pan de soutane.

En pleine hémorragie, son corps gothique aux hanches redressées s'arc-boute en une ogive brisée telle qu'en prévoient depuis peu les nouveaux bâtisseurs de cathédrales. Et entre ses jambes, c'est comme une gargouille monstrueuse dégueulant un flot de sang. Il arrache son bâillon et hurle. Par la fenêtre à demi ouverte, il découvre le ciel...

26.

Dos à la fresque représentant la Vierge, Héloïse tournoie sur elle-même et s'écroule comme un torchon, en vrac, sur les dalles du réfectoire de l'abbaye Sainte-Marie d'Argenteuil.

Par-dessus ce tas de lin blanc immobilisé contenant la converse évanouie, la mère supérieure, penchée, s'indigne auprès d'une autre religieuse :

— Mais enfin, sœur portière, vous auriez pu lui annoncer la nouvelle avec davantage de ménagement !

— Ben quoi, il fallait bien l'avertir ce matin sitôt qu'on me l'a appris par le judas du portail.

— De là à lui dire tout à trac : « Ma petite, votre mari n'a plus de couilles ! »...

27.

Quand Héloïse arrive en tenue immaculée de couvent et coiffée du voile blanc de religieuse qui n'a pas prononcé ses vœux définitifs, presque toute la population de Paris se masse devant l'immeuble en bord de Seine que la nièce connaît pour s'y être faite sauter.

Sur la plage, autour des barques accostées, tant de scolares, de femmes, pleurent le désastre du célébrissime philosophe devenu chapon pour dîner de la Noël. Les dames qui ont souvent rêvé de folles nuits avec le grand théologien, de ses chansonnettes déposées sur leurs lèvres, font couler plus de larmes que si elles avaient à déplorer le décès d'un amant, d'un mari. Même s'il paraît qu'il aurait convolé, elles sanglotent l'ablation du héros tragique. Il était le fantasme de toutes celles qui l'avaient vu aller à l'école Notre-Dame ou en revenir. Sous des capels servant à retenir les cheveux, le maquillage coule entre des mains revêtues de gants de soie et portées à des visages féminins pris dans d'irrépressibles hoquets de désespoir.

Héloïse traverse la foule où aussi des meuniers, des usuriers trop riches, des patrons d'atelier, la regardent s'approcher d'une haie formée par les soldats de l'évêque et du roi, vêtus de tuniques courtes, qui font barrage devant la demeure de l'éclopé :

— Halte là, on ne passe pas !

— Mais si, elle seule, vous la laissez entrer ! leur ordonne l'archidiacre Étienne de Garlande qui l'a mariée.

La petite épouse croise dans l'escalier des médecins, des physiciens (pharmaciens) et des barbiers-chirurgiens qui sortent de la chambre et redescendent en se disant l'un à l'autre :

— Quelle blessure incroyable et ces jets d'hémoglobine !... Je ne sais même pas comment il a pu y survivre.

— Maintenant que la plaie a été lavée à l'eau poivrée, que la surface cruentée est badigeonnée de perchlorure de fer, d'alun, et de goudron pour arrêter le sang, l'hémostase se fera mais il faut le laisser se reposer.

— Mon bandage en T maintiendra l'étoupe trempée d'onguent et d'huile aromatique qui le panse.

— Une sœur infirmière devra venir le changer chaque jour pendant les trois mois que demandera la cicatrisation.

— Je lui ai donné à boire une tisane anesthésiante puis un soporifique qui l'aidera bientôt à dormir...

Sur le palier assombri du second étage, devant la porte close, Héloïse respire très profondément et longuement. Cherchant à désamorcer sa panique totale, elle essaie de trouver une blague à dire puis enclenche la poignée.

Elle s'efforce de sourire pour dédramatiser, de faire bonne figure, mais ce qu'elle découvre !... Nu à même le drap devenu écarlate sur lequel s'est déroulé l'attentat, un triste corps parmi la douleur, le sang, et la sanie, combien faible et combien puni avec un gros tas d'étoupe entouré d'un pansement entre les jambes. Visage si pâle, il lui tend une main faible dont elle approche ses jolis doigts qu'il observe :

— Où est ton alliance ? Depuis que je te l'ai glissée à l'annulaire je ne t'ai jamais revue avec.

— Je ne sais plus où elle passée...

— Oh, tu égares tout. Tu ne sais jamais où tu ranges tes affaires.

— Oui eh bien tu vois, aujourd'hui, il n'y a pas que moi qui perds les choses sauf que je finis toujours par les retrouver tandis que toi, tes..., ça m'étonnerait que tu les retrouves un jour ! Alors quoi, le monsieur de la dispute, qu'est-ce qu'il a à dire ?

Il lève ses paupières au ciel, pardonnant et comprenant surtout cette gaieté tellement feinte, sachant qu'elle sauve son épouse à qui il demande d'ailleurs :

— Ferme complètement la fenêtre, je te prie. Les cris, les lamentations, les gémissements du dehors me fatiguent. Ces témoignages d'une compassion trop bruyante redoublent ma honte et je n'en peux plus des scolares qui font retentir ma maison de leurs pleurs insupportables.

Alors qu'elle s'exécute, qu'elle découvre en bas d'autres curieux accourant devant l'immeuble, Abélard redoute aussi :

— La joie mal cachée de ceux, les Anselme, Roscelin, etc., qui me jalousaient... Les moqueries de mes ennemis qui vont venir également me seront chose difficile, impossible à vivre. Pendant que tu es là, profites-en pour rassembler les rideaux car la lumière du jour me devient odieuse. Hier, j'étais dans la gloire. Aujourd'hui, je suis détruit. Une lame a tranché et me voilà un eunuque, un châtré...

Héloïse revient près de lui pour s'asseoir au bord du lit et, de l'extrémité d'un des pans blancs de son scapulaire, elle éponge la sueur au front enfiévré de celui qui poursuit en grimaçant de douleur :

— Comment pourrais-je à présent reparaître en public sur l'île de la Cité, moi qui y serai partout montré du doigt, poursuivi par des chuchotements et des gloussements, dans chaque ruelle en spectacle comme une sorte de monstre, un sujet de farce pour comédiens sur des tréteaux ? « Mesdames et messieurs, approchez, approchez donc ! Venez voir le vent de face, contre sa tunique, creuser de longs plis singuliers dans le vide entre les jambes du fameux baiseur ! »

— Nous pourrions quitter la ville, propose la jeune épouse et même l'Île-de-France... Aller là où personne ne te connaît.

— Je suis connu partout et la nouvelle du ridicule froissement de mes parties viriles va se répandre sur la route de Compostelle avec les pèlerins. Les marchands, eux, la propageront de foire en foire dans toute l'Europe, de ville en village et je ne saurai plus où aller sans qu'on se moque de moi. Il ne me reste plus qu'une espérance.

— Laquelle, ma amour ?

— Obtenir admission au monastère de Saint-Denis pour échapper aux regards du monde.

— Hein ?! Devenir moine, toi ?

— Mais pour que je puisse le faire, Héloïse, poursuit le mutilé qui se mord les lèvres de souffrance, il faudra que tu acceptes de suivre le même chemin que moi, de prendre le voile et prononcer tes vœux définitifs au couvent d'Argenteuil où tu finiras ta vie.

— Sans toi ?

Le monde s'écroule sur la tête de la petite épouse à qui son vieux mari, en couche-culotte, explique :

— Dans un couple marié, l'un des deux ne peut s'engager dans la profession monastique qu'à condition que l'autre agisse de même. Nous devrons réitérer ce qu'ont fait mes parents.

— Mais Abélard !...

— Pour que tu n'y sois pas obligée, je me suis bien sûr demandé s'il y avait possibilité de rompre notre union devant l'Église or c'est impossible car elle a été consommée de par la naissance d'Astrolabe. L'un des buts du mariage étant la procréation, quand il y a eu naissance, au regard de la loi, l'union devient indissoluble. Aucun imprévu survenu après sa constitution ne peut plus la remettre en question. Et donc, deviendras-tu bénédictine ?

— Oh, ben non ! lance par réflexe la jeune épouse. Je ne vais pas passer le reste de mon existence dans un couvent... J'ai l'âge où l'on est destiné pour les joies de la vie !

— Héloïse, si tu ne prends pas le voile noir, il me sera interdit d'entrer dans les ordres. Tu m'as toujours dit que tu ferais tout pour moi. Tu parlais de don total.

À l'évocation des austérités à vie d'un destin monastique, Héloïse est prise de vertige :

— À vingt ans, me soumettre à ce joug insupportable... surtout qu'en plus et en cette tenue, je peux te l'avouer, je ne crois pas en Dieu.

— Ah, ne dis pas ça, mécréante ! Moi, *novi meo sceleri, talis datur ultio. Cujus est flagitii, tantum dampnum patio. Quo peccato merui hoc feriri gladio !* (Je le vois, de mon forfait, c'est le juste châtiment. Pour la lubricité que j'ai commise, j'endure dommage grand. Mon péché a mérité que me mutile cette lame !)

Une paume plaquée contre sa bouche, Héloïse constate :

— Tu délires...

— Conformément à la justice divine, j'expie par la douleur le crime de mes plaisirs. Et maintenant comme tu me l'as souvent conseillé, c'est en l'abbaye royale et robe de bure que j'envisage de me consacrer à l'écriture. J'y deviendrai le philosophe de Dieu dont j'expliquerai la logique. Ce qui m'arrive est miséricorde du Tout-Puissant. Merci Seigneur !

— Oh oui, là, ça ne va plus du tout. Tu as également perdu la tête...

Transpirant elle aussi du front sous sa guimpe, elle ne reconnaît pas le vieux maître vicelard qu'elle aimait tant et demeure silencieuse, larmes aux yeux, alors que l'autre lui en remet une louche :

— Héloïse, en outre, si tu acceptes, il te faudra prononcer tes vœux définitifs avant moi car, devant rester encore sur mon lit de misère, je veux que, de nous deux, tu sois la première à bientôt tracer notre chemin vers Dieu.

— Et te quitter pour toujours ?!...

— Ou alors, reprend le nouveau mystique à la con, après avoir rempli le monde de ma renommée, poursuivi par la risée, je vais devoir l'emplir de ma honte. On se gaussera du mari transformé en bœuf qui n'honore plus, de l'homme incapable d'accomplir ce que souhaite sa femme quand il la tient nue dans ses bras et qui, elle, ira forcément rouler sa jeunesse et sa beauté sur d'autres paillasses...

— Non, Abélard ! Lorsque mon cœur s'est rendu à toi, il t'a promis et donné mon corps de sorte que personne d'autre n'y aura part.

— Tu parles ! Tu aimes tellement le goût du foutre qu'avant un mois tu te feras hurtebiller par un jongleur dont les gros marteaux te claqueront le cul. Et moi, il ne me restera plus qu'à aller prier saint Arnoul, le patron des cocus !

— C’est faux ! s’indigne Héloïse. Ma amour, nous pourrions aller vivre tous les deux absolument isolés dans une cabane au fond de n’importe quelle forêt où tu écrirais des ouvrages sur ta nouvelle passion, la logique de Dieu, et nous y serions heureux.

Elle lui trace un plan d’amour et d’eau fraîche mais il s’y refuse d’une grimace alors elle s’affole :

— En fait, tu ne m’aimes plus, ma amour ?

— Ce n’est pas tellement ça mais je n’ai plus de couilles, je te rappelle ! s’agace-t-il. J’ai vu tout à l’heure, sur les tomettes de la chambre, une chatte, entrée par la fenêtre, qui jouait avec, à coups de pattes, comme tu faisais avant !...

— Mais de cela je me fiche, ma amour !

Et pendant qu’elle glisse un doigt qui va-et-vient le long du parchemin enroulé, toujours abandonné sur la table de chevet, elle lui remémore qu’être châtré n’empêche pas forcément de bander :

— On dit qu’il est même des femmes qui préfèrent les eunuques car leurs baisers ne piquent pas, point de barbe naissante qui brûle les joues, point d’obligation de visiter une sorcière ou de devoir rouler une pelle à une grenouille pour avorter. Les dames romaines choisissaient souvent des châtrés pour amants. Pourquoi la chère Caelia n’a-t-elle eu pour la servir que des eunuques ?... Parce qu’elle voulait se faire besogner mais sans avoir d’enfants !

Rouleau de parchemin dans une main qu’elle masturbe de l’autre, elle ajoute, opiniâtre :

— Et puis n'oublie pas que je t'ai toujours appelé « Langue magique », « Main magique », et même « Voix magique » alors qu'importe la disparition de tes génitoires du moment que tu as toujours ton..., ta..., car tu as bien toujours ta..., hein, Abélard ?

Le philosophe ne répond pas. Il détourne sa tête vers la fenêtre où l'entrebâillement vertical des rideaux roses mal joints s'écarte en haut puis se rassemble plus bas en formant des plis sensuels de grandes lèvres violines. Par cette ouverture, il regarde briller fantastiquement le ciel et s'endort. Héloïse part, armée de la peinture sur peau de mouton roulée où elle avait représenté les génitoires de son ancien précepteur bien avant qu'ils ne soient, hélas...

Depuis Paris, il faut presque une demi-journée de marche pour rejoindre l'abbaye d'Argenteuil. La très jeune et jolie converse, tout en blanc, passe le Grand-Pont, traverse le marché aux pourceaux, et s'engage sur la route qui mène au couvent. Elle prend le bac pour franchir une boucle de la Seine. Autour de ce bateau à fond plat, flottent des barques chargées de rameurs et de rires de femmes qui projettent des éclaboussures. Puis les sandales monacales à semelle en corde se tordent à nouveau dans les ornières de la route – chemin raviné d'où l'on aperçoit, au loin, les coteaux d'Argenteuil. À gauche et à droite, c'est quantité de fougères, de petits cours d'eau pleins de cresson. Derrière, des pastoureaux en haillons jouent du pipeau près de leurs moutons. Un orage sec crève. Héloïse paraît marcher comme dans un rêve. Il ne pleut pas. Cette rivière est semblable à une poudre dorée. Près d'un tas de fumier, des mâchoires de chiens claquent. Des femmes à pas lents suivent des vaches.

Héloïse contemple le monde entier. Elle regarde un beau cavalier s'en aller au galop de son cheval. Sur la haie d'épines le long du sentier, elle remarque que son voile blanc y danse en ombre noire et se fait à cette idée.

Ô, la jeunette folle amoureuse, amoureuse et folle, prise d'un amour total qui la conduit à une folie.

28.

C'est la saison de la cueillette de toutes sortes de fruits – prunes, abricots, figues, etc., devant le palais de justice de l'île de la Cité. Au pied de ce bâtiment en pierres massives et fenêtres ouvertes, règne le parfum d'un jardin humide de pluie. Des récoltants en habits de docteur s'en approchent, serpe au poing, et la mort est dans la nature.

La mort est également en la nature de trois larrons enchaînés que des soldats poussent dans le dos vers l'estrade d'un supplice. Au *bruyct* de l'arrivée de Barat le Rusé, Canteleux le Trompeur, et Fadet le Petit Fou, des gens se penchent aux fenêtres des maisons tandis que d'autres les huent, leur crachent dessus aux cris de « Aux fous, aux fous, aux sots, aux sots ! » et les rejettent à coups de cailloux. Ces agresseurs retrouvés, inconscients, sales pisseurs, ayant voué leur vie au mal, rappellent une sinistre et lamentable histoire de fureur.

Les uns à côté des autres, ils sont alignés face à un public essentiellement composé de femmes en bliaud dont les manches resserrées des épaules aux coudes s'évasent ensuite jusqu'au sol. Les riches tenues d'épouses de notables en velours, satin, hermine et brocart, scintillent en gammes chatoyantes.

Devant les trois suppliciés, s'approchent, accompagnés d'aides, trois barbiers-chirurgiens aux méthodes différentes. C'est mieux pour le spectacle. Chacun peut ainsi manifester sa préférence. Le premier qui va être torturé, tout à gauche – Barat le Rusé – se voit forcé de fléchir et d'écarter les jambes face à son opérateur personnel qui met un genou à terre. Tunique relevée par-dessus sa tête débarrassée du feutre à longues plumes, Barat sent des mains fouilleuses qui nouent vite à la racine de ses testicules une cordelette serrée avec force pour bloquer l'écoulement du sang puis la lame d'une serpe aiguisée tranchant ses génitoires. L'action est brève et brutale. Il ne sent pratiquement rien. Pour cautériser, un assistant verse aussitôt sur sa plaie de la poix bouillante qui, elle, le fait gueuler. Le deuxième à barbe fauve – Canteleux le trompeur – s'évanouit à la simple découverte du fer rougi au feu prévu pour sa stérilisation. Quant au troisième à rire idiot, il est suspendu par les couilles ce qui l'amuse beaucoup. Fadet le Petit Fou gesticule en l'air avant que de retomber dans un rire... efféminé. Un rayon de soleil baigne les trois corps en nage qui n'en ont pas fini car à présent on leur crève les yeux. Pour Canteleux le Trompeur, ça se passe encore au fer rougi, ce qui le réveille dans un hurlement alors qu'au creux de ses orbites un liquide bouillonne en grosses bulles dont les vapeurs grimpent le long de la façade du palais de justice. De par la fenêtre ouverte au premier étage, on peut les humer dans le bureau d'un juge qui observe Fulbert assis en face de lui :

— *Oculorum et genitalium amissione damnatus* (Condamnés à avoir les yeux crevés et les génitoires coupés). Au moins vous aurez échappé à ça, chanoine, de par la grâce de l'évêque Girbert qui a juridiction sur les gens d'Église – *forum ecclesiasticum* – mais qui vous condamne néanmoins à la confiscation totale de vos biens et à deux ans de cachot, suivis d'un bannissement perpétuel en toute l'île-de-France avec interdiction d'y revenir un jour sous peine de pendaison.

L'oncle d'Héloïse, vêtu d'une chape noire à capuchon, soupire d'une voix très cassée de vieillard :

— J'avais reçu le maître sous mon toit. Vainqueur, il a voulu en investir la place. En agissant ainsi, j'avais pensé que ma nièce oublierait peu à peu cette amour de jeunesse...

— Chanoine, la castration d'un mari n'est absoute qu'en cas d'adultère. Mais là, dans l'affaire qui nous intéresse, où est l'adultère, Fulbert ?

— J'avais pensé qu'en plaçant ma filleule à Argenteuil, il reniait sa parole et tentait de se soustraire au mariage...

Le gros parrain a maintenant les rondes paupières closes d'une poule au pot qui bouillonne :

— J'avais rêvé d'un autre destin pour ma nièce... Même en tant que visiteuse laïque, je ne voulais pas qu'elle retourne au couvent.

— À cause de vous, à partir de demain, elle y sera à vie.

29.

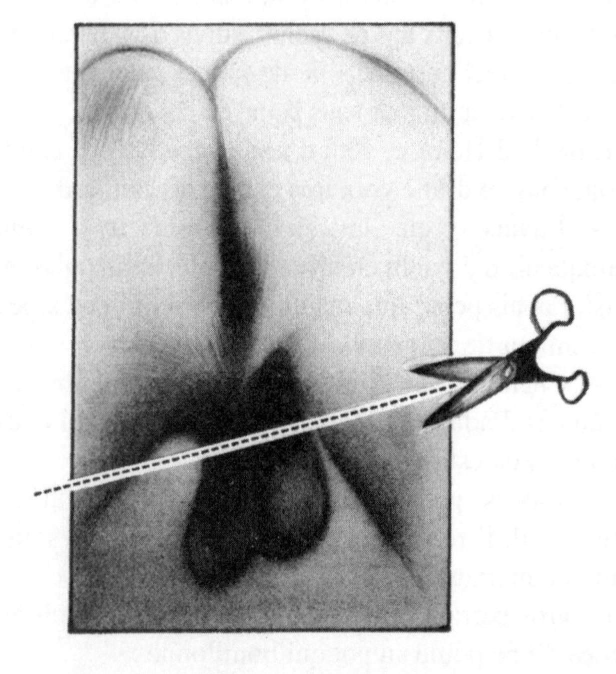

— Il n'a pas pris la peine de faire le voyage jusqu'au couvent Sainte-Marie d'Argenteuil pour assister à la cérémonie ?

— Qui ça ?

— Ben... Couic !

— Hou, hou, hou!... Oh, maître Anselme, mais comment surnommez-vous votre ancien scolare!? Ah, regardez derrière, le voilà qui franchit le porche de l'abbaye, soutenu sous les aisselles par deux médecins. D'avancer ainsi, les pattes tellement écartées, lui procure une curieuse démarche...

Pour sa première sortie depuis l'attentat, lentement et gauchement, le célèbre théologien dandine comme un canard. Il a beaucoup perdu de sa grâce naturelle si ce n'est encore, dans les yeux, le bleu tellement intense de ses prunelles qui fixent Anselme de Laon, se penchant à l'oreille de son voisin pour dire :

— S'il me salue, je ne pourrai pas l'appeler Pierre puisque c'est un prénom masculin. Pierrette, peut-être...

— Hi, hi! Oh... Depuis le jour, il y a longtemps, où vous l'avez chassé de votre école, l'affaire de la fameuse pomme du péché vous est toujours restée en travers de la gorge, hein, maître?

Là où avant le vent debout marquait en relief l'empreinte des parties viriles d'Abélard, c'est maintenant un tas d'étoupe dans son pansement qui gonfle et plisse la longue tunique maculée d'une petite tache de sang.

— Pierrette a ses menstruations..., commente Anselme.

Son voisin, également peu compatissant, pouffe de rire alors que derrière eux des gens qui froncent les sourcils leur intiment :

— Chut!

Au même instant, en vaporeuse robe de soie aux couleurs vives, cheveux blonds joliment tressés et enrubannés, Héloïse, qui a ainsi traversé le jardin du cloître, arrive devant la porte de la chapelle Saint-Jean-Baptiste, jouxtant l'abbaye, où la mère supérieure l'attend avec compréhension :

— Ma pauvre petite orpheline, vous vouliez encore une fois vous faire belle...

— Oui, ma mère.

À l'intérieur de cette dépendance romane, Héloïse ôte très à regret ses beaux habits étincelants pour revêtir une morne tenue sacerdotale. Pieds dorénavant chaussés de sandales à semelle en corde, elle passe entre les deux lourdes colonnes centrales de la nef médiane pour aller s'asseoir sur un tabouret au creux d'une absidiole en forme de cul de four. Elle a chaud! Là, des novices qui l'entourent retirent en silence les ornements de sa coiffure, dénattent sa blondeur puis commencent à lui raser le crâne. Héloïse regarde autour d'elle pleuvoir sa chevelure – sa vie de jeune fille – sur les dalles tandis qu'à côté, l'intérieur de l'abbaye continue de s'emplir d'un public. Des torches sont accrochées le long des murs et allumées pour éclairer la salle comble prise de brouhaha dans une brume. Un prélat en chasuble énorme d'or chamarrée de perles escalade le marbre d'une estrade.

— C'est Girbert, s'étonne un bourgeois, l'évêque de Paris lui-même qui est venu pour officier, comme quoi l'affaire est d'importance !...

Le grand ponte apostolique vérifie la disposition des fanons pendants de sa mitre couverte de pierres précieuses quand, face à lui, on perçoit des bruits de robes et de chapelets car Héloïse arrive. Celle qui a montré si peu d'empressement pour embrasser la vie religieuse avance sur ses genoux en un rampement infâme parmi des gens qui s'écartent. Elle sanglote ainsi que ferait n'importe quelle créature sachant qu'elle va à l'abattoir :

— Adieu mes plaisirs, adieu ma jeunesse, je meurs au monde... Je sacrifie mon existence pour qu'Abélard puisse vivre...

La fille aux espérances noyées dans un habit de servante du Christ se dirige vers son suicide, entourée de sermons, de prières, et d'hymnes. Elle se couche d'elle-même sur l'autel du sacrifice, s'y précipite comme on plonge dans le vide.

— Ma fille, que venez-vous me demander ? l'interroge l'évêque.

— Mon père, je vous demande la miséricorde de Dieu, la charité des sœurs, et le saint habit de religion.

— Est-ce de bonne volonté et de votre propre mouvement que vous me faites cette requête ?

— Oui, mon père, ment l'orpheline.

L'avenir s'offrait à sa gourmandise telle une corbeille de fruits exotiques. Elle croyait en son destin et voilà que tout s'écroule tandis qu'elle se coiffe du voile noir que lui a remis Girbert. D'autres sœurs accourent avec des épingles pour maintenir le lin à la guimpe de cette héroïne grecque au cœur dévasté. Devant la population rassemblée, elle se consacre pour l'éternité au dieu d'Abélard qui reçoit son serment à elle.

— À propos, il est passé où, Couic ?...

Devant Anselme de Laon – parmi d'autres maîtres d'écoles et Pères de l'Église venus de tout le royaume pour assister à cette prise de voile : l'évêque de Chartres Geoffroy de Lèves, Roscelin, le très intransigeant Bernard de Clairvaux... – Foulques de Deuil se retourne pour les renseigner :

— À peine a-t-il eu une plainte pour tant d'amour et de malheur avant de vite s'en aller.

— C'est parce qu'il est encore si faible de constitution, le pauvre convalescent, compatit Geoffroy de Lèves.

— Nul n'est pauvre, muni d'un tel trésor, s'insurge Bernard de Clairvaux en regardant les portes du monastère se refermer sur Héloïse. Celle-là, si on coupait ses bras, il lui pousserait des ailes et elle pourrait encore éblouir le soleil. Elle a eu le tort d'aimer Abélard. Vous voyez que c'était fatal.

En cette journée d'automne pluvieuse, c'est comme si Adam et Ève avaient été chassés du jardin des Délices. Grelottant sur les marches du porche de l'abbaye, l'ancien maître de l'école Notre-Dame remarque Barat le Rusé, Canteleux le Trompeur, et Fadet le Petit Fou qui vont à la queue leu leu en se tenant par les épaules et butant contre les arbres du parvis, ce qui fait beaucoup rire Fadet le Petit Fou.

— Comment survivront-ils sans yeux ?

Parce que tremblant de fièvre et que, sur l'insistance de son épouse, un noble s'est dévêtu pour le lui proposer, c'est en épais manteau fourré et soutenu sous les bras qu'Abélard titube dehors où tout se transforme en boue.

30.

Depuis plusieurs mois qu'il est là, Fulbert n'a presque pas bougé. Jeté dans la prison de l'île de la Cité – monde enclos défendu par de puissantes murailles –, celui dont le nom « Héloïse » envahit les pensées – vengeur invétéré victime de l'orage qu'il a lui-même allumé –, machine aveugle et sourde, s'en trouve désorienté. Quelle angoisse le crucifie de jour comme de nuit. Ô, le ratage de sa vie !

Il est déposé là comme un talus dans sa décomposition morale. Assis à même la terre battue près d'une paillasse et adossé contre le mur suintant de la geôle, bras entourant des jambes repliées sur le ventre, ce lourdaud a le menton flasque entre ses genoux au-dessus desquels seul le sommet du crâne chauve, entouré par la tonsure, brille.

Sa soutane, couleur terre de Sienne à gros plis de laine, masque une silhouette s'écroulant. Ah, elle est loin, l'ample aisance du chanoine en dentelle lorsqu'il se redressait pour officier à l'église. Il ne peut plus créer d'ennuis à d'autres dans sa retraite contrainte et solitaire. Il y fait bouillir et mange son cœur près d'un livre de psaumes abandonné dans la gadoue. Au rythme haletant de sa respiration, la croix pectorale monte et descend le long de sa poitrine comme une bêche. Chapelet de buis entre les doigts, il égrène aussi des macérations. À côté également d'une écuellée de pois, cet homme prend la forme d'un terril d'où s'échappent sans pudeur des gaz géologiques (grisou) – pets –, vents de chemise. Nez mangé de mites, il est enchifrené de morve dans une méditation intérieure dont rien ne pourrait le sortir. Maintenant, terre en friche où poussent des champignons, il a des senteurs de plantes aquatiques. Humilié jusqu'au plus profond de son amour pour sa filleule, il patauge dans des eaux ténébreuses où sa science fait des bulles. À sa gueule de lamproie à la boue – sauce épaisse –, il porte l'écuelle à ses lèvres pour en boire le bouillon. Il s'ensauvage jusqu'à devenir méconnaissable. Comme la cire sous la flamme, il s'avachit encore, fond. Dans sa déception, il se désintéresse de son sort, de son corps qui descend vers les entrailles de l'enfer. Massif, ventre ballant, il n'est bientôt plus qu'un esprit dont le comportement et l'apparence s'écartent de la normalité. Pensées secrètes, intimes débâcles, rien n'arrête sa dissolution en la solitude. D'un soupir, il cultive sa terre qui se mêle à celle de la prison. Navrant avec un air de saleté, incapable d'un bout de lecture choisie, d'un regard attentif, d'une oreille en arrêt, et tout ce dégoût qu'il lui faut taire, il promène sur le cachot des yeux appesantis par le morne regret des chimères disparues et s'en affaisse d'autant plus. Entre les mailles du canevas de son piteux destin, son âme est un tombeau. Métamorphose ! Il s'endort, enseveli par l'oubli et infiltre le sol. Au-dessus de lui disparaissant, ne traîne plus qu'un long mugissement que remuent des abîmes et les humides brouillards qui nageaient dans ses yeux de poule malade. Cet humus humain – fumier ! – a été avalé par la terre de la cellule dorénavant vide. Tout son passé, disons son remords, ricane entre les barreaux du soupirail.

31.

— Bon, alors, tout d'abord en lettres majuscules, le titre de cet ouvrage de théologie : *THEOLOGIA SUMMI BONI* (Du Bien Suprême) *Theo... logia sum... mi boni.* Ligne suivante, on écrit le sous-titre : «De l'unité et de la trinité divine». De l'unité... et de la trinité divine ! Le reste devra, bien entendu, être rédigé en latin.

Revêtu d'un froc brun de moine ordinaire qui a prononcé ses vœux définitifs, Abélard, maintenant remis de sa blessure, sillonne à grands pas réguliers le *scriptorium* du monastère de Saint-Denis. En cette salle réservée à la rédaction des manuscrits, traînent, sur des étagères, des encres, des plumes dans des pots, et de quoi plier, couper les parchemins.

Alignés tel un rang d'oignons, six moines copistes, assis sur leur tabouret face à un pupitre au plan plus ou moins incliné, délaissent la longue plume d'oie ayant servi à noter le titre pour s'emparer d'une autre plus petite – celle d'un coq de bruyère. Couteau dans la main gauche, ils la débarrassent de ses bardes, vérifient la souplesse de la fente par laquelle s'écoulera l'encre puis lèvent à hauteur d'épaule leur main droite pour attendre ce que dictera le moine théologien.

— Phrase à placer en exergue : *Scientia est comprehensio veritatis rorum que sunt* (La science est la compréhension de la vérité des choses qui sont).

À eux six, les scribes rédigent six exemplaires de ce que leur collègue philosophe articule d'une voix qui s'est récemment enrichie de quelques octaves :

— Avis au lecteur. Dans mon premier livre, je ne prétendrai certes pas détenir la vérité qui, c'est certain, ne peut être connue ni par moi ni par aucun des mortels mais au moins j'aurai la satisfaction d'offrir quelque chose qui soit vraisemblable, proche de la logique universelle sans être contraire à l'Écriture sacrée. Ce qui est vrai, le Seigneur le sait. Ce qui est vraisemblable, je pense que je vais le démontrer.

Il entrelace en langue vulgaire – français – des phrases que les copistes traduisent en latin et qui parfois les étonnent comme lorsque soudain l'ecclésiastique logicien assène :

— Dieu est un en trois personnes. Dieu est trois !

— Deux est trois avez-vous dit, frère Abélard ?

— Dieu !

— Ah bon ?

Le scribe qui a posé la question trace alors docilement les pleins et les déliés mais en écarquillant les yeux. À d'autres moments de la rédaction de l'ouvrage, ses voisins penchés par-dessus les parchemins hochent la tête d'un air surpris ou grimacent d'une moue dubitative. L'encre trop métallique s'oxyde sur la peau de mouton qu'ici et là elle attaque et troue. Contrairement aux beaux parchemins des grandes bibles à miniatures qui sont parfaits et au grain doux, les pauvres peaux des six exemplaires du livre d'Abélard, peut-être à cause du changement de température ou de l'humidité, connaissent des contractions réactives, dilatations ou bosselages qui rendent l'écriture difficile, l'entourent d'un halo brunâtre.

L'ancien maître de l'école Notre-Dame, dont la pensée vole si haut, improvise et dicte en s'approchant de l'âtre où brûle un enfer tandis que sur les pupitres c'est, en cadences diaboliques, un grand frémissement d'ailes infernales.

— Moins vite, frère Pierre, moins vite! On n'arrive pas à suivre...

Quant aux plumes de coq de bruyère, qu'il faut retailler tellement souvent, elles grincent mais Abélard poursuit. Fier et sûr de lui, à la lumière vacillante des mèches qui baignent dans l'huile et mains croisées derrière le dos, celui qui mettait des étoiles aux yeux et au cœur des femmes mène sa démonstration plutôt qu'un discours au galop. *Flatum vocis* – souffle de voix (maintenant un peu aigrelette) –, sans se demander si sa parole sonne comme un blasphème, sur les dalles du scriptorium qui retentissent des pas mystérieux de ses sandales en cuir, et même si à cause de sa grande taille il heurte souvent du front des fils à linge tendus où sont accrochées des enluminures représentant des Jésus, lumières de Dieu, symboles du Saint-Esprit, il paraît maîtriser ce qu'il veut dire, savoir où il va.

32.

Les astres suivent leurs courses et les saisons tournent au-dessus du couvent d'Argenteuil dont l'ombre s'étend sur Héloïse aux grands yeux tristes et, dans le cœur, la solitude comme un abandon de Dieu.

En long voile de lin noir coulant à l'arrière de la tête jusqu'au milieu du dos et dans sa guimpe empesée couvrant la gorge et la poitrine, tel un marbre dont aucun angle n'arrête la lumière, le visage ovale de la jeune mariée reçoit maintenant la clarté d'un vitrail et au creux d'une oreille le souffle de la mère supérieure qui cherche à la consoler :

— Ma petite, la foi boit les larmes...

En ce début d'après-midi, à l'intérieur du réfectoire, Héloïse ôte les écuelles sales et des reliefs sur la longue table lui rappelant un souvenir qui cuit encore entre ses cuisses. Les autres sœurs, s'affairant à tirer les bancs pour balayer des miettes de pain tombées, ne se parlent pour ainsi dire pas. Lorsqu'elles ont besoin d'une pelle à poussière, c'est par signes qu'elles la requièrent. On voit à leur taille pointer sous la robe les piques métalliques d'un cilice mortifiant qu'elles portent à même la peau blessée tandis qu'au-dessus d'une main d'Héloïse c'est le poignet brodé de la chemise en soie écrue d'Abélard qui dépasse et que la mère supérieure réinstalle dans la manche de la nouvelle religieuse tout en lui demandant :

— Qu'avez-vous prévu de faire livrer à l'abbaye pour le dîner d'aujourd'hui ?

— J'avais pensé à des navets dont on ferait une soupe...

— Ah non, ma petite, rien sorti de la terre. Pas de légumes racines comme également les carottes, les asperges ou les champignons, à l'aspect trop suggestif pour des femmes seules. Réclamez plutôt des produits de la pêche, aliments classés froids qui étouffent l'incendie de la luxure, ou à la rigueur du castor puisque sa queue presque toujours immergée est comparée à la chair des poissons.

— De la queue ?...

Héloïse qui tente de museler ses désirs ne rechigne pas à la besogne faute de se faire besogner par son mec. Charme, élégance, convivialité, elle coule au couvent des jours de labeur et de vertu lorsque soudain s'ouvre la porte du réfectoire sur une sœur qui se précipite vers elle :

— J'ai des nouvelles de lui !

— De LUI ?!

Aux yeux d'Héloïse, son mari reste totalement divin. Le Seigneur ne l'a pas encore guérie comme il a su cautériser l'entrejambe d'Abélard. Alors qu'elle fripe machinalement sa robe noire sous son ventre, la religieuse accourue lui relate :

— On m'a raconté par le judas du portail qu'au monastère de Saint-Denis, il a dicté un livre dont les six copies circulent de diocèse en diocèse dans tout le royaume où, sitôt lues, elles sont recopiées à leur tour et dont la critique vis-à-vis de l'auteur fait l'unanimité...

— Tant mieux !

— ... contre lui.

— Ah bon ?

— Les évêques et les archevêques réclament à Soissons un concile où il sera jugé pour hérésie.

— Que risque-t-il ?

— Ah ben, la peine de mort !...

Héloïse tombe en un tas de chiffon noir sur les dalles. La mère supérieure s'indigne :

— Mais enfin, sœur portière, il y a d'autres façons d'annoncer les choses !

33.

Mars 1121, à Soissons, ville entourée de remparts parce que l'on s'y méfie des fauteurs de troubles, on se méfie surtout d'Abélard qui, après vêpres, y pénètre en marchant entouré par des soldats de l'Église :

— Fauteur de troubles !

Alors qu'on entend derrière les murs de la cité les lamentations de très nombreux scolares retenus à l'extérieur, sur le grand moine de quarante deux ans la foule soissonnaise crie des injures, prétend qu'il est un dangereux hérétique :

— Il ose écrire qu'il y a trois dieux.

— Mais non, je n'ai pas dit ça.

En tout cas, c'est ce que des agitateurs, envoyés dans les rues par Bernard de Clairvaux pour dresser la population, propagent sans rire aucunement (il faut dire que l'on aurait peine à imaginer ce sévère abbé se gaussant).

— Philosophe châtré, tu es un satyrique, un moqueur. Tu prônes le trithéisme.

— Pas du tout.

— Après t'avoir coupé les roubignoles et peut-être la queue, il faudrait te trancher la langue !

Sur une estrade, comme les jours de foire, un spectacle se déroule. Un comédien qui joue Satan est rôti dans une gueule d'enfer mue par de singuliers mécanismes et d'où sortent des flammes, de la fumée avec des bruits de tonnerre parce que, derrière, un assistant frappe à coups de marteau sur une tôle. Le public réclame :

— On veut le voir crever avec ses tripes qui saillent dehors !

— C'est Abélard, un tempestaire, faiseur de mauvais temps !

Des musiciens bariolés chantent « *Factus eunuchus* » et provoquent l'hilarité des spectateurs qui éclatent en gros mots et rires épais. Autour du théologien qui va être jugé s'agglutinent de plus en plus de personnes. Telles des brebis sortant d'un clos, c'est une puis deux, puis trois, puis une multitude dans laquelle on croise des drapiers de Flandres, des Juifs, des banquiers italiens, venus exprès pour assister au retentissant procès. Une jeune épouse curieuse, svelte et douce, trouve que quand même :

— Il demeure joli garçon.

— Le Malin se cache sous sa beauté apparente ! lui répond son mari en la giflant.

Une grosse harengère, à la langue autrement plus vipérine et œil fixe de faucon crécerelle, prend le logicien pour cible de ses farces obscènes. C'est une sagouine qui, en paillarde, s'égosille. Elle est plus âpre qu'une ronce et ses lazzi fusent concernant la perte des attributs d'Abélard alors qu'il se penche pour franchir dignement le porche de la cathédrale comble où l'attendent ses juges.

Son entrée se déroule au bruit de tambours, trompes, et fifres qui font trembler les statues des saints dans une buée qui sent davantage le cul sale et les pieds malpropres que l'encens. À la découverte de l'archiconnu philosophe, une multitude d'ecclésiastiques, prieurs, abbés, doyens, archidiacres, redressent la tête. Cette élite abonde en abrutis décorés comme des châsses avec leurs crosses si bien luisantes. Et puis soudain on voit des genoux fléchir, des fronts s'incliner sous la bénédiction d'une main, portant anneau, qui arrive également. C'est celle du prélat du pape lui-même, venu spécialement pour cet événement d'importance. Un garde l'annonce :

— Le président du concile : Conan d'Urach, cardinal et évêque de Préneste !

Derrière les piliers, le public vibre :

— On raconte que Conan aurait refusé la papauté parce qu'il trouve majoritairement les Pères de l'Église trop mous à son goût... Ça promet un sacré procès !

Des Pères de l'Église, il y en a là tout un fleuve parmi lesquels Abélard reconnaît Guillaume de Champeaux et Anselme de Laon, ses deux anciens maîtres qui ne veulent pas le louper et d'ailleurs le regardent d'un œil fâché. Lotulphe de Lombardie, Albéric de Reims, ne semblent pas commodes non plus. Sont ici également Girbert, l'évêque de Paris qui a marié Abélard, et Adam, son propre abbé au monastère de Saint-Denis. Et puis il y a surtout Bernard de Clairvaux. Alors celui-là !... Conan d'Urach devrait ne pas le trouver trop mou... Heureusement que sont aussi présents le raisonnable Bérenger de Poitiers, Pierre le Vénérable : abbé de Cluny, qui est pour Abélard un ami, et l'évêque de Chartres : Geoffroy de Lèves, admirateur du théologien et dont la réputation est grande.

Le procès commence. Abélard est aussitôt déchiré par trop de langues.

— *Theologia Summi Boni !...* Ce livre, on devrait l'appeler *Stupidologia* ! attaque très fort Bernard de Clairvaux.

Le président du concile apprécie.

— En ton ouvrage, tu tends la tête dans les nuages pour scruter sous les jupes de Dieu puis nous rapportes des paroles qu'il n'est pas licite à un homme de prononcer, s'offusque Lotulphe.

— Pour moi, il ne peut pas y avoir de paroles interdites ni de mystères indicibles, lui rétorque le nouveau moine de l'abbaye de Saint-Denis sans se démonter. C'est de la logique.

— Je ne veux pas entendre parler de la « logique de Dieu » ! aboie Albéric. Dieu est totalement au-dessus des règles de la logique et inatteignable par la dialectique. Et toi, en plus, tu prétends qu'IL est trois !

— Je dis simplement qu'une maison est mur, toit, et fondation. Dieu est la fondation, le toit, c'est...

— Tais-toi ! ordonne Guillaume de Champeaux.

Depuis que je t'ai connu scolare, je te répète que ta logique est puérile, voire insensée !

— Tu es un fou ! surenchérit son voisin Anselme de Laon. Tu dois croire qu'il t'est possible de t'asseoir debout !

— Oui, parfaitement sot ! reprend Guillaume. Si arrogant et assuré de ton prétendu génie que tu ne veux guère descendre des supposées hauteurs de ton esprit exalté pour écouter ceux qui furent tes maîtres !

— Certes, je m'estime être le seul vrai philosophe au monde, en tout cas bien plus que vous deux réunis dont je ne suis pas de la même argile, leur balance dans la gueule Abélard avec une attitude provocatrice.

— Oh !... On n'aurait jamais osé parler ainsi à ses enseignants autrefois, rappellent l'évêque de Paris et l'abbé Adam ainsi que le public bruissant derrière les piliers de la cathédrale.

— Et puis, demande à l'accusé le président du concile, qu'est-ce que c'est aussi cette histoire farfelue de vouloir savoir si Dieu s'est engendré lui-même ?!

— La question se pose, Conan d'Urach, puisqu'il n'est absolument aucune chose dans l'Univers qui se soit créée elle-même.

— Je rêve ! Monsieur va bientôt nous décrire l'arbre généalogique du Seigneur : son père, sa mère, ses cousins par alliance, oncles et tantes. Mais où va-t-on ? n'en revient pas Lotulphe.

— Je dis qu'il y a « problème »...

— Tu nommes « problème » ce que j'appelle « mystère », réplique Albéric.

— Dans ton livre, se scandalise Guillaume de Champeaux, la foi des humbles est ridiculisée, les mystères de Dieu étripés ! Arrête donc de t'interroger sur des choses qui te dépassent. Contente-toi de les admettre ainsi que nous le faisons et c'est tout ! Tu poses beaucoup trop de questions. Il vaut mieux enterrer sagement les problèmes difficiles plutôt que devenir dingue à tenter de les comprendre.

— Tu te métamorphoses en acolyte de l'Antéchrist qui ne vise plus qu'à ruiner notre religion ! s'étouffe Anselme de Laon. Déjà, jeune, ton histoire de pomme...

— Maîtres Guillaume et Anselme, on ne peut apprendre à des scolares que ce que l'on sait et moi je ne crois que ce que je comprends ! C'est stupidité que d'enseigner ou de prêcher ce qu'on ne comprend pas plus que ceux auxquels on s'adresse. Dans la Bible, le Seigneur lui-même ne condamne-t-il pas les aveugles qui conduisent les aveugles ?

— S'il on en est aux citations divines, tonne l'abbé de Clairvaux, Abélard, moi je te rappelle que dans l'Ancien Testament on peut aussi lire que Dieu a les eunuques en abomination ! Consulte le passage qui te concerne : « Le rejet des eunuques est si grand dans l'esprit de Dieu qu'il interdit à ceux dont les testicules ont été amputés ou écrasés de pénétrer en un lieu saint » (Lévitique, XXII, 24 ; Deutéronome, XXIII, 2). Je regrette que les Pères de l'Église en notre époque devenue trop laxiste n'appliquent plus cette loi qui t'aurait fermé la porte d'un monastère.

— Ah, ça c'est vrai ! abonde le président Conan d'Urach. Quelle heure est-il ? J'ai faim, moi.

— Ton attaque basse patauge à ton niveau, Bernard, sourit mélancoliquement Abélard.

Ce grand moine mince bousculé de toutes parts par les conservateurs rigoristes n'a sans doute jamais été aussi beau. Même en pauvre soule noire, pieds nus dans de grossières sandales et tonsure rousse autour du crâne, il garde la classe. Faut le faire (surtout sans couilles !). L'évêque de Chartres vole à sa rescousse :

— Moi, je considère son traité de théologie comme le livre le plus original du siècle. Il est pareil à la nouvelle architecture des cathédrales. Les différentes idées de ce livre se soutiennent tels les arcs de voûte que l'on commence à construire de nos jours.

— Je préférais l'énergie première de l'architecture ancienne ! réagit Clairvaux en lutte également contre le gothique naissant aux dépens du roman. Leurs voûtes rondes sans complaisance imposaient et maintenaient la foi dans sa rigueur plutôt que ces superflus et trop hauts arcs brisés que j'aimerais voir tomber des édifices en construction.

— Moi également, vote Conan. Hélas, les temps changent...

— Et pourquoi, président, n'y aurait-il pas, en ce qui concerne la religion catholique, de progrès comme il y en a dans tous les autres domaines? questionne l'impartial Bérenger de Poitiers.

— Parce qu'il serait hérétique de vouloir faire évoluer quoi que ce soit dans l'Ancien et le Nouveau Testament ! répond Bernard à qui on n'a rien demandé.

— Je n'aurais pas dit mieux, avoue le prélat du pape.

— Souffle de la logique, *aura logicae*, la rhétorique de l'ouvrage incriminé apporte un vent de fraîcheur. Abélard invente le mot « moderne », marmonne l'abbé de Cluny.

— Merci à toi, Pierre le Vénérable qui as actuellement pourtant, je crois, dans sa vie personnelle bien des soucis et mériterais des consolations, s'incline le moine de Saint-Denis. Un ami véritable tel que toi dépasse tous les dons de Dieu. Il faut le préférer à n'importe quelle richesse, car il est d'autant plus précieux qu'il est rare.

— Suffit ! s'emporte l'abbé de Clairvaux, revenant au sujet du jour. Qu'on en finisse avec cette idée que la foi chrétienne trouverait d'autres limites dans ton livre qui décortique tout mais ne sait rien ! Tu insinues que le catholicisme ne serait qu'une estimation et oses nous parler de flou dans la Bible comme si rien n'était certain.

— Ce n'est pas sûr..., en tout cas, parfois, pas logique, précise Abélard.

— Dis-nous, dis-nous un peu qu'on s'en amuse, ce qui t'aurait été révélé à toi et à personne d'autre, ricane Guillaume de Champeaux.

« Non, non, il ne faut pas le laisser parler, se défendre, car on doit se méfier de l'habileté de ce dialecticien pour retourner les esprits. Il va nous rouler dans la farine », prévient Anselme alors que Guillaume poursuit :

— Moi, j'écoute les prophètes et les apôtres. J'obéis à l'Évangile mais pas aux délires d'Abélard. Nous aurais-tu écrit un nouvel Évangile ? L'Église n'a que faire d'un cinquième évangéliste ! Tu es parfaitement ambigu. Avec toi, la peste la plus dangereuse éclate dans le sein du catholicisme.

— Ma philosophie est plus logique que la doctrine et la foi de nombreux Pères de l'Église !

Il est quand même gonflé, l'eunuque, de balancer des trucs comme ça alors qu'il risque la peine de mort.

— Tu forces plus que tu n'ouvres les lieux saints comme tu devais autrefois écarter les jambes des filles... bave, yeux exorbités de convoitise, le sévère abbé de Clairvaux qu'un endroit de la gente féminine doit également beaucoup tracasser.

— Je rétablis le sens des écrits dans les bases de la foi !

— Oui, c'est ça. On peut le dire ainsi !...

— Antéchrist !

— Démon !

Ça s'emballe dans la cathédrale. Le juste Bérenger de Poitiers tente la modération et cherche le compromis auprès de ses collègues :

— Quand même, ne pourrait-on pas laisser notre frère réexposer publiquement sa doctrine afin qu'on puisse, selon qu'il conviendra, l'approuver, le désapprouver, ou le raisonner calmement ?...

— Non, jamais ! explose Bernard de Clairvaux. Une bouche comme la sienne proférant de telles horreurs doit plutôt être fracassée à coups de trique que réfutée par des raisons !

— Bravissimo ! applaudit le président italien du concile. Il n'est effectivement pas question de continuer à tout envenimer alors que le début de ce procès se déroulait à merveille ! Puisqu'il veut parler, que l'accusé récite le *Symbole d'Athanase* comme tout enfant en est capable. Qu'on lui donne une copie du texte parce qu'il a dû l'oublier et ensuite on l'aura assez entendu avant de rendre notre verdict car il se fait tard et qu'il va être temps d'aller souper ! Garde ! Le *Symbole d'Athanase* à frère Pierre !

À lui – le plus grand philosophe au monde, théologien exceptionnel, maître d'école adulé par tous les étudiants d'Europe –, faire lire un truc qu'ânonnent machinalement les enfants de chœur en remuant les burettes... Ce n'est pas logique.

Quiconque veut être sauvé doit, avant tout,
tenir la foi catholique. S'il ne la garde pas
entière et pure il périra sans aucun doute
pour l'éternité.

— Vous me donnez ce texte comme si je l'ignorais. Quelle humiliation.

Voici la foi catholique. Nous vénérons un Dieu...

Feuille de parchemin au bout d'un bras, Abélard, parmi des soupirs, récite en haletant. Moralement, il est démoli.

« Il a soudain une petite voix féminine », « C'est parce qu'il n'est plus entier. Du reste, on devrait l'appeler Abélard l'Incomplet », entend-on dans le public tandis que le jury, bercé par le timbre monotone de l'accusé, délibère :

— Tout comme ça c'est déjà produit à Soissons après le dernier concile il y a huit ans, j'exige de le voir lui aussi brûler sur un bûcher... pour la amour de Dieu, bien sûr !

— Grillé comme un agneau de Pâques ? s'en régale d'avance le président en appétit qui se pourlèche les lèvres. Que vous avez souvent de bonnes idées, abbé de Clairvaux ! Un jour, vous serez canonisé, saint Bernard.

— Une condamnation à mort de l'idole de la jeunesse actuelle ? alerte Pierre le Vénérable. Attention, les milliers de scolares restés sagement derrière les remparts sur les conseils de leur dieu vivant vont alors aussitôt les franchir et incendier la ville.

— C'est effectivement à craindre, s'en désole Conan d'Urach dont les intestins gargouillent, et dans ce cas je ne sais pas quand nous passerions à table.

— Peut-être qu'une ordalie sous un pont de l'Aisne..., suggère Anselme de Laon, ennemi irréconciliable de celui qui continue de bafouiller le *Symbole d'Athanase*. Et ainsi, qu'à Dieu plaise, s'il lui arrivait malheur, vis-à-vis des scolares, nous pourrions jurer que nous n'y sommes pour rien et que ce fut seulement le choix du Seigneur.

— Malin..., hoche de la tête Guillaume de Champeaux près de son collègue.

— Une ordalie? Qu'est-ce? interroge le délicat Bérenger de Poitiers. Jamais entendu parlé de ça, moi.

— Mais si, vous savez, cette ancienne épreuve de l'eau, hélas trop tôt abandonnée, qui consistait à lancer un accusé ligoté au milieu d'une rivière ou d'un fleuve préalablement bénit, explique l'abbé de Clairvaux, aficionado de ce jeu-là. Si l'homme remontait et flottait à la surface, c'est que l'eau bénite le rejetait indiquant sa culpabilité mais quand il coulait à pic et restait saucissonné à tourner dans la vase, c'est qu'il était innocent et avait la vie sauve...

— À condition qu'on le repêche à temps, ce qui n'arrivait pas toujours, précise, pragmatique, Conan d'Urach. Ah, c'était un temps où l'on savait mourir...

— Mais admettons qu'Abélard surnage comme un tronc lors de cet examen pour lequel, d'ailleurs, je ne voterai pas, prévient l'évêque de Chartres, que feriez-vous ensuite de votre «coupable»? Hein? Vous n'avez pas pensé à ça, Anselme...

— Bon, on ne va pas s'en sortir et tout va être trop cuit ou trop froid, abdique le président du concile alors qu'Abélard arrive à la fin de la récitation du *Symbole d'Athanase* : «*Telle est la religion catholique : si quelqu'un n'y croit pas fidèlement et fermement, il ne pourra être sauvé.*» Pour cette fois, contentons-nous de l'accusé jetant lui-même son livre au feu, peine assortie d'emprisonnement et qu'on en finisse, conclut le Conan d'Urach pris de gourmandise (péché capital).

Alors que, place du Marché de Soissons, le soleil commence à basculer dans l'horizon, sous une grande bannière catholique qui étire les ombres, un gradé de l'armée épiscopale se hâte d'indiquer à la population :

— ... Toutes les copies du livre de ce moine de Saint-Denis devront être également incendiées là où on en découvrira afin qu'il n'en reste plus mémoire sur terre !... Condamné par le concile, mettez donc votre ouvrage à brûler ou l'on vous décapitera.

Ô, la face effarée et le geste perdu d'Abélard devant un monticule de paille crépitante et de rougeoyantes bûches en croix sur lequel il lance son manuscrit. Ce silence du philosophe pendant que le livre crame au milieu d'une foule qui allume aussi l'auteur par tous les bouts en déplorant :

— Et pourquoi, ce soir, ne fout-on pas aussi le feu à cet hérétique comme on l'a déjà fait en 1114 ?!

Sentant trop le fagot aux narines du peuple qui aimerait du moins l'ensevelir sous un déluge de caillasses, le théologien pleure son œuvre carbonisée et sa vie en flammes. Entouré par l'étrange société qui, de lui, voudrait faire son jeu de massacre et son but, de quel malheur abattu et abreuvé de quel fiel, le logicien écoute les pages en peau de mouton de ses pensées qui se trouent, racornissent, et bêlent. Des hommes crachent dans les cendres de l'ouvrage. Paradoxalement, sans les soldats de l'Église pour le sauver avant que de le traîner dans une geôle, Abélard serait immolé.

La nuit est presque tombée et la lune se lève, montrant une demi-face hypocrite feignant la pitié.

34.

— Et ensuite ? demande d'une voix blanche Héloïse, abandonnant n'importe où – sur la paillasse encombrée de pots en grès dans la cuisine du réfectoire – le torchon contre lequel elle essuyait ses doigts effilés et souillés de saindoux de sanglier.

« Eh bien ensuite... », s'apprête à répondre la sœur portière lorsque la mère supérieure qui vient d'arriver l'interrompt à temps avec autorité : « Non, non, non, laissez-moi lui relater parce qu'avec vous, à chaque nouvelle, ouh, là, là, on ramasse cette petite en tas sur les dalles. »

L'abbesse, d'un âge respectable, qui dirige les moniales d'Argenteuil observe affectueusement la très jolie religieuse sans vocation qui pourtant accomplit son métier ecclésiastique avec beaucoup de conscience.

— La raison pour laquelle vous mettez cette eau à chauffer, ma petite ? interroge-t-elle pour tenter une diversion.

— Plutôt que de dépenser inutilement à en acheter en ville, j'essayais de fabriquer pour nous toutes du savon au suif et à la cendre de hêtre mais, ah, là, là, voilà que je ne sais plus où j'ai mis celle-ci. J'ai beau regarder partout autour de moi, je ne la retrouve plus. Heureusement, j'ai cueilli dans le jardin du cloître des fleurs de saponaire qui feront l'affaire après un court temps de décoction. Il faut surveiller ça comme le lait sur le feu. Et donc, pour Abélard ?...

— S'ils l'ont certes condamné à incendier son livre, il a échappé au bûcher ! ajoute la mère supérieure d'un air vainqueur afin de vite rassurer la religieuse toujours aussi amoureuse.

— La grandeur est souvent en butte à l'envie, commente, fataliste, Héloïse en semant par poignées les pétales sur l'eau frémissante. C'est contre des cimes élevées tel ce théologien que se déchaînent les tempêtes mais après que lui est-il arrivé ?

— Eh bien..., cherche ses mots l'abbesse qui ne veut surtout pas alarmer Héloïse, il est placé aux arrêts près de Soissons, dans le monastère de Saint-Médard où l'on accueille du mieux possible les moines quelquefois un peu récalcitrants.

— Moi, je dirais plutôt qu'il y a été jeté au fond d'un cachot en tant que criminel convaincu et qu'il en bave drôlement là-bas ! croit utile de rectifier la sœur portière que la mère supérieure fusille du regard.

— Mais non, ma petite, pas du tout, n'écoutez pas... Après un concile, un court séjour en prison est une peine courante et tout s'y passe très bien pour lui.

— Tu parles ! s'exclame l'autre, décidément trop peu diplomate. Ils l'y surnomment « le rhinocéros indompté ». Je le sais. Goswin, le frère portier de là-bas, le raconte à travers le judas de son portail. Il paraît que le condamné se trouve dans un état d'abattement et de confusion totale, qu'il y vit un sentiment de désolation en tournant sur lui-même et pleurant ce qu'il nomme ses désirs brisés.

Les pétales de saponaire mauve aussi pâles que le deviennent les joues d'Héloïse se mettent à tournoyer dans le court-bouillon au fur et à mesure des explications de la responsable du portail :

— À lui, les nuits blanches, rêves noirs, où il déplore bien davantage l'autodafé de son œuvre que la mutilation de son corps. C'est ce qu'il répète sans cesse dès le matin en se levant et allant, titubant, hochant la tête, butant, et se cognant aux murs de sa geôle comme un poète.

La dissolution du suc des fleurs de saponaire dans l'eau qui bout maintenant à gros bouillons la fait aussi mousser comme du savon. Dans les bulles blanches se formant à la surface du liquide qui s'élève, Héloïse découvre en multitude son reflet et son âme, palpitant au bout de ses cils d'or, également éclate alors que la sœur persiflage insiste :

— Submergé par un désespoir voisin de la folie, en sa cellule il délire et se lacère lui-même.

L'eau moussante de la casserole déborde. La préparation est gâchée et Héloïse prise de vertige. Elle chancelle. Derrière, la mère supérieure la retient sous les aisselles en engueulant la sœur portière :

— Allez-vous vous taire, oui ?! Vous n'avez pas à faire ailleurs ? J'entends sonner la cloche du portail !

— Ça attendra que j'aie d'abord nettoyé cette mousse coulant sur les dalles qui deviendraient glissantes, répond la préposée aux clés en s'emparant du torchon tout à l'heure abandonné par Héloïse. Ah, ben elle l'avait balancé par-dessus le pot de cendre de hêtre. C'est pour ça qu'elle ne la retrouvait pas. Je vais la malaxer moi-même avec le saindoux de sanglier. Quand je pense que ça aurait pu être la cendre de *THEOLOGIA SUMMI BONI*, voire celle de son auteur...

Héloïse tourne de l'œil. L'abbesse n'en peut plus de la maladroite :

— Mais ce n'est pas possible, ça !

— Quoi ? Qu'est-ce que j'ai dit encore ? Elle est bien sensible, votre protégée, concernant son mari.

— Une amour de cette ampleur escalade le ciel !

35.

Des saisons ont passé. C'est le printemps aux parfums de pommiers fleuris, aubépines roses, qu'Abélard pourrait prendre plaisir à inhaler s'il ne venait pas de faire une découverte dans un livre de la bibliothèque à la fenêtre entrebâillée sur le verger du monastère de Saint-Denis.

Saint-Denis... En ce prieuré où l'on s'abaisse à une pauvreté délibérée, le long moine roux qui fut condamné pour hérésie n'a jamais vu à l'intérieur d'aucune école une telle quantité de manuscrits aussi riches et rares dont certains n'ont visiblement jamais été parcourus. Alors il se consacre à leur lecture du matin au soir et là, penché sur son pupitre quand soudain un autre moine pousse la porte de la bibliothèque, il se redresse pour lui déclarer :

— Regardez, frère !, ce que je viens d'apprendre concernant, exposées dans l'abbaye, les reliques du patron de la France.

— Saint Denis ?

— Oui. Il y a une erreur. Ce ne sont pas les os du disciple de saint Paul.

— Qu'est-ce que vous dites ?

— Ce ne sont que ceux du premier évangélisateur des alentours de Lutèce, décapité par les Romains vers 280 et qui s'appelait également Denis, d'où sans doute la méprise.

— Mais c'est le même !

— Impossible. Lisez vous-même ce passage de *L'Exposition des actes des apôtres* que jamais personne ici n'a pris la peine d'ouvrir. Bède y révèle que le vrai saint Denis, dit l'Aréopagite, était l'évêque de Corinthe et non pas, comme le prétendent les Pères de l'Église, celui d'Athènes, venu plus tard se faire trancher la tête en Gaule. Les restes conservés sur le maître-autel ne sont donc pas ceux du bon.

Dehors dans le verger, de brusques chants d'oiseaux s'envolent, des piaillements de martinets cisaillent le ciel car l'autre moine s'égosille :

— Vous êtes fou, frère Abélard ! C'est complètement faux ce que vous dites !

— Pourtant si fait. La lecture de Bède en apporte la preuve.

— Vous êtes un fieffé menteur-eur-eur !...

L'abbé du monastère – Adam –, alerté par l'écho du cri et s'imaginant un grave accident survenu, déboule vite à son tour dans la bibliothèque, poursuivi par une horde de moines :

— Que s'est-il passé ?!

Gros chapelet aux perles en os dans les mains, le cordon de son objet de dévotion se brise et toutes les billes tombent, rebondissent sur les dalles, lorsque l'autre moine, pris d'étourdissement, lui cafte en bégayant :

— Il-il-il a osé m'affirmer... que-que les reliques enfermées dans la châsse d'argent ne sont pas celles du converti par saint Paul mais celles de l'évêque de Paris qui serait un autre Denis !

Entendant cela, l'abbé, très fragile du cœur, porte une main à sa poitrine. Au bord de la crise cardiaque, une nausée phénoménale lui monte à la gorge :

— Abélard, on devrait vous appeler Lucifer !

— On pourrait vous associer à une forme de démence... confirme un autre moine.

— Vous avez une trop fâcheuse tendance à agir même contre vos propres intérêts, le prévient un troisième.

Malgré tout, l'incriminé se lève, fier et sûr de lui, aussi persifleur qu'un geai qui mériterait également le surnom de « Torchepot » lorsqu'il se met à démontrer :

— Mon père, mes frères, à partir d'aujourd'hui et depuis ma lecture de ce manuscrit de Bède, assène-t-il en tapotant un index sur le volumineux livre aux parchemins enluminés, vous ne pourrez plus raisonnablement me soutenir que le disciple de saint Paul mort en martyr au début du Ier siècle à Corinthe ait pu venir mourir une seconde fois en notre ville à la fin du IIIe siècle ! C'est illogique !

« Putain, ça le reprend, sa logique !... », s'égare en expression peu monacale un autre frère alors que son voisin déplore, utilisant à peu près le même type de vocabulaire : « Il fait chier à tout contester, ce con-là ! »

« Le raisonnement par la logique est une usurpation de l'autorité divine et donc un blasphème ! » rappelle un petit religieux ventru près d'un grand méchant agressif, au crâne en pointe, qui s'enflamme : « Moine, vous êtes parmi nous pour vous consacrer uniquement aux jeûnes et aux lamentations et non pour disséquer, éviscérer, autopsier nos croyances par votre insupportable logique ! La logique d'un moine, c'est son humilité monastique. Vous n'êtes pas chez nous pour réfuter ceci ou cela. Vous n'êtes là que pour pleurer ! « Ce n'est pas le bon saint Denis. Le bon, c'est l'autre » ne sont pas des phrases que vous êtes censé prononcer. Frère Abélard, vraiment on a trop de peine à détecter chez vous la moindre trace d'humilité !... »

— J'ai raison.

L'ancien maître d'école paraît décidé à ne pas se laisser terrasser ou mystifier, devoir s'agenouiller comme les autres devant quelque chose de faux :

— Cette rotule, ces vertèbres et ces côtes devant lesquelles toute la France court se prosterner doivent retourner au cimetière, dans une fosse commune ou même être jetées sur un tas de détritus ! C'est leur place.

— Crime de lèse-majesté !... aboie l'abbé Adam au visage subitement boursouflé et dont on peut se demander s'il ne va pas rester sur le carreau où déjà ses sandales dérapent par-dessus les roulantes billes osseuses tombées de son chapelet. Vous objectez l'authenticité du saint fondateur de l'abbaye, patron du royaume, et ses restes qui reposent avec ceux des rois de France ! En contestant son histoire, vous attaquez l'élément fondamental de la politique française car s'en prendre aux reliques de saint Denis, c'est outrager la monarchie capétienne !

— Ce ne sont pas celles de l'Aréopagite.

Adam tente de respirer :

— Frère Abélard, devant vos frères ici présents, écoutez-moi bien : avant la fin de l'après-midi, j'aurai fait prévenir notre nouveau roi...

— ... qui, de caractère, n'a rien à voir avec son doux père Louis le Gros, s'en amuse un des ecclésiastiques aux airs sadiques. Si ce Louis VII de seize ans semble violent et inégal, au moins est-il fort dévot et place-t-il au plus haut degré le respect des reliques de notre abbaye.

— Alors il vous fera punir, menace Adam, en tant qu'homme qui attente à la gloire du royaume et porte la main sur sa couronne.

— J'espère qu'il ordonnera votre démembrement, salive l'autre méchant. Après ce qu'on vous a déjà ôté, il ne restera plus grand-chose de vous.

Malgré tous les sarcasmes que le philosophe devenu moine aura dû entendre à propos de son corps, que ce soit enfant lorsqu'on l'appelait Gros Lard transformé en Abélard, après qu'il eut été émasculé, qu'on eut désiré trancher sa langue à Soissons, qu'on souhaite maintenant le voir démembré, Pierre l'Imperturbable (un peu inconscient aussi) continue avec audace de se comporter comme le levain dans la pâte à pain :

— Et même sans Bède, absolument tout est n'importe quoi dans votre histoire d'os à moelle de délire que les moines de cette abbaye – ma parole, y en a-t-il ici qui ingèrent en cachette des champignons hallucinogènes ? – répètent de siècle en siècle. Par exemple le fait, selon vous avéré, qu'après avoir été décapité sous le règne de Dèce, Denis se soit ensuite baissé pour ramasser sa tête tombée au sol avant que d'aller, en la portant dans ses bras, à pied jusqu'au cimetière... Non mais franchement, vous tous, mon père et mes frères, seulement entre nous et vos yeux dans mes yeux, vous y croyez à votre Denis céphalophore promenant son crâne ? Ça vous paraît logique, crédible, ça ?

— Bien sûr, revendique l'un des moines. Puisque c'était un saint, rien ne lui était impossible et donc...

— Ce n'était pas un saint ! tranche pour la énième fois le gêneur du monastère qui coupe la parole, agace en argumentant et exaspère ses frères. Il y aurait plus de chances, au moins concernant les dates, que ce fût cet autre Denis – pauvre malade mental égaré en Syrie –, auteur en grec de *La Hiérarchie céleste*, et nommé Pseudo-Denis. Car il y a eu trois Denis !

— Il voit tout par trois : Dieu, saint Denis... C'est comme une maladie, diagnostique l'un des ecclésiastiques, catastrophé. Il est devenu un dingue se glorifiant d'infecter la cour de France du poison de sa découverte.

— Tiens, d'ailleurs, je propose qu'on rebaptise la ville et ce lieu de clôture monastique du nom de Pseudo-Denis. On serait déjà plus proche de la réalité ! balance Abélard, ultra-provocateur.

C'en est trop. À l'intérieur de la bibliothèque, de l'orage ? Ô non, c'est la tempête ! C'est la folie ! En sentences plus lourdes que des marteaux, ça hurle en cris d'or dans l'air moderne du XIIe siècle : « Osons le pendre ! » La prise de bec du philosophe a viré à l'attaque au vitriol.

« Songez à vous taire, fléau du monastère ! », braille quelqu'un en poussant d'aigres cris poitrinaires alors que l'abbé Adam décide sur-le-champ, cœur battant à mille à l'heure : « Je pars ce soir alerter Sa Majesté ! »

Par de sombres cloîtres, vastes salles et gazon des préaux, Adam s'en va tandis que les frères autour d'Abélard n'ont absolument pas l'intention d'attendre le verdict du roi... Peu épaté par la clarté de son intelligence, sa logique, la subtilité de son savoir, ils l'encerclent et fondent sur lui :

— Âne, on aura tôt fait de te tailler les oreilles (ah, ben ça manquait !) et de te ramener à la réalité.

Les qui tiennent tellement à ce que le disciple de saint Paul soit le fondateur de leur abbaye sont maintenant, enflammés de fureur, trop près du libre d'esprit qui ne leur plaît guère :

— Sortons les fouets ! Massacrons-le à coups de bûches prises dans la cheminée et courons chercher des cilices métalliques pour, de leurs pointes, lui arracher sa peau (alors la peau en plus...). Dépouillons-le tel un lapin !

C'est une avalanche de coups sur le châtré, considéré comme traître à la France et qui porte ombrage à la réputation de l'abbaye royale.

À travers tout ce qui éclate sa belle gueule de grand rouquin et risque de lui virer les dents (et les dents !), fracas au dos, ventre défoncé, Abélard découvre le vitrail de la fenêtre de la bibliothèque et s'élance, tête la première contre les petits carreaux de verre colorés qui explosent en une gigantesque éclaboussure scintillante. Du deuxième étage, il se jette à l'horizontale dans le vide et la nuit.

36.

En cette même nuit, pendant qu'Abélard, au monastère de Pseudo-Denis, se défenestre, Héloïse, au couvent d'Argenteuil, fait un rêve : son amoureux s'y est métamorphosé en arbre à bites et, en tenue de religieuse, elle cueille les pénis agrémentés de testicules. Des queues et des couilles d'Abélard, elle en emplit tout son panier. C'est vous dire si c'est un rêve !...

Elle se tourne et se retourne dans l'enfer de son lit. Ce songe lui procure du bien et du mal à la fois. Sa mémoire est l'oreiller au creux duquel elle vautre sa figure en rêvant de l'étrange arbre fruitier aux offrandes dont elle est gourmande d'absolument partout. Maintenant, à plat dos, elle se caresse les seins sous la chemise en soie écrue de son amant puis se réveille lorsque la cloche sonne pour annoncer l'office de l'aube.

Pieds nus au sol et assise au bord de sa couche, en une cellule semblable à celle de son enfance dans ce même couvent, à vingt-cinq ans, qu'elle est jolie – de grands yeux bien dessinés dont les pupilles réfléchissent la teinte de l'aurore, une bouche où s'épanouissent largement, entre des dents splendides, les sourires de son esprit, la tendresse de son âme.

Après s'être déshabillée de la chemise d'homme qu'elle a soigneusement pliée et dissimulée à plat sous le matelas, elle revêt sa robe en laine noire de religieuse sous laquelle les courants d'air mènent leur train lorsqu'elle sort de la cellule. Héloïse suit le rituel du couvent avec abnégation. Malgré le ciel s'éclaircissant qui la réclame et bien que partout en elle ricane une voix, une voix tentatrice, elle part rejoindre ses congénères pour chanter matines :

Vaine rosée que j'estime si haut,
Tu ne sais seulement si tu vivras demain.
Cette gloire de chair que tu recherches tant,
Dans la sainte écriture, est dite fleur de foin
Comme un fétu léger que disperse le vent...

Sœur Héloïse à tout oppose la bonté – être toujours plus douce – mais si elle œuvre catholiquement, elle ne parvient à vider sa mémoire. Fresques, statues ecclésiastiques, enluminures des bibles deviennent pour elle des images licencieuses. Elle gémit parmi les aiguilles du désir. Devant des christs trop dévêtus, des Romains, fouet à la main mais aux jupes si courtes, elle est moins occupée par les oraisons que par les turpitudes. En sa jeunesse ardente au plaisir, elle a soif de sexe. Les envies qui l'assaillent la mettent au supplice. Visions audacieuses et perverses, les scènes pieuses se muent en orgies pour son corps frustré, avide de souillures, où une envie de baiser macère. Elle a le goût du péché. Toujours esclave de sa sensualité, lorsqu'elle repense aux giclées de foutre d'Abélard durant la messe, elle n'en est ni honteuse ni désolée. Queue de son ancien précepteur dans la bouche, elle regoûterait bien la saveur de Dieu et quand l'évêque vient pour la confesser, à genoux elle avoue : « Je ne puis tenir ma langue » puis se relève alors c'est son con que le prélat bénit. Près d'un cierge palpitant – bon sang, ce cierge ! –, elle regarde dans un vase cette rose qui s'élargit un peu vers le haut et cela plaît à celle qui rendrait un milliard de fois son voile et sa croix, son chapelet, pour entendre un seul matin encore un scolare de Paris chanter sous sa fenêtre qu'elle est l'amante du maître de l'école Notre-Dame.

En une vie pire que la mort elle cherche cependant à étouffer la révolte de son corps mais la flamme recouverte n'est jamais éteinte quoiqu'on lui attribue ici une réputation de pureté et d'impassibilité platonique. Tout comme elle le faisait du temps d'Abélard, Héloïse obéit mais ne se soumet pas. Elle accepte chacun de ses devoirs même si son âme n'aime pas ses vertus. Dans cette existence hors du monde qu'elle n'a pas choisie bien qu'elle s'y soit sacrifiée pour l'orgueil de son époux, sa beauté et son destin se trouvent comme ensevelis dans un sépulcre sans que, de sa part, on entende un reproche.

Retirée, jeune et éblouissante, du nombre des vivants, en état de sécheresse, elle voit se dérouler les mornes journées de son chemin de croix : la privation éternelle de son amour dont elle espère toujours des nouvelles et ça tombe bien car la sœur portière arrive. Celle-ci tourne, minaude, se met à décrire comme si elle se rappelait un rêve :

— Sœur Héloïse, cette nuit, votre amoureux s'est métamorphosé...

— En arbre fruitier ?!

— Ben non, pourquoi ? Quelle drôle d'idée ! Il s'est transformé en oiseau. On l'a vu s'envoler d'une fenêtre. Il devait être beau... avec ses grandes ailes. Il a dû planer dans l'air léger puis aller voltiger tout joyeux par-dessus les toits des villes apaisées.

Entendant cela, Héloïse écarquille de grands yeux face à sa consœur qui poursuit d'un ton inhabituel :

— Sans doute que, lumineux et serein, s'élançant vers les nues, on a pu le confondre avec un ange plein de bonheur filant longtemps entre la Lune et la Terre comme un nouvel astre utile. Ô, j'imagine le reflet des étoiles sur ses plumes... À l'aube, il a certainement croisé le cri d'une girouette que balançait le vent et à cette heure, battant toujours des ailes, il mêle son vol à celui de toutes les bonnes bêtes célestes.

— Vous vous lancez dans la poésie, sœur portière ? Mais je ne comprends rien à vos simagrées. Que voulez-vous dire en réalité ?

— Parce que des moines furieux le démolissaient tel qu'à coups de pelle, votre mari s'est défenestré. Il s'est forcément écrasé comme une merde mais on ne sait pas où.

Chassez le naturel de la sœur portière, il revient au galop :

— Ils ne retrouvent pas son cadavre dans le monastère. Moi, je prétends qu'ils devraient chercher au fond du puits de leur verger où le philosophe envasé doit pourrir, entouré par des grenouilles qui font des bulles.

Héloïse est prise d'un tournoiement de toupie alors que l'abbesse déboule pour vite approcher un banc tout en regrettant :

— Sœur portière...

— Ah, là, pourtant ma mère, je vous assure, j'avais bien commencé et puis...

37.

Dans une salle de château aux murs en pierre recouverts çà et là de quelques tapisseries, un homme encore jeune, calme et semblant plein de noblesse près de son épouse, regarde un long moine plus âgé, hirsute et boitant, venir s'asseoir face au couple en train de dîner. Après le simple balancement d'un index de la femme, un domestique apporte devant Abélard une écuelle et un hanap en étain qu'il emplit de nectar de la région :

— C'est du vin de Champagne, lui annonce la dame.

— Servez-vous donc de ce héron accompagné de sa sauce à l'ail, propose le mari.

Abélard amaigri et affamé plonge aussitôt une main dans le grand plat d'où il ôte une cuisse du volatile sauvage pour la porter goulûment à ses dents tandis que l'épouse s'étonne :

— Comment se fait-il qu'après un tel voyage en claudiquant et durant lequel vous avez visiblement peu mangé, vous ayez trouvé le moyen de raser votre visage ?

— La barbe ne me vient plus, comtesse Mathilde...

L'époux fait diversion :

— Et donc, poussé à bout par tant d'acharnement et de violence, las de toujours voir depuis quelques années la fortune vous contrarier dans les moindres détails puis l'ensemble du monde ecclésiastique se conjurer contre vous, religieux à présent nomade et sans monastère, vous êtes allé vers l'orient et ce château de Provins ?...

— Oui, comte Thibaut, car on m'a raconté votre indignation concernant la manière dont j'ai été jugé au concile de Soissons. Alors, après une lourde chute qui m'a cassé cette cheville mais étant quand même parvenu à franchir le haut mur d'enceinte de mon abbaye pour m'en évader, je me suis dit...

— Vous avez bien fait. Puisque le domaine de Louis VII ne s'étend qu'entre Senlis et Orléans et que dans le reste du royaume il n'a qu'une suzeraineté symbolique, vous échapperez à la comparution devant le roi. Et c'est un immense honneur que de recevoir chez nous un si célèbre philosophe qui se réfugie sous notre protection. Que désirez-vous ?

— Oh, juste un bout de terrain nu mais éloigné de toute habitation où, dans un oratoire de roseaux et de chaume que je bâtirai, je poursuivrai mon existence en ermite.

— Vous avez donc été bien déçu, compatit l'épouse, par trop de prélats qui ne voient en vous qu'un pervers fabricateur de dogmes et donc adversaire de la foi catholique au point dorénavant de préférer, comme un soldat blessé, partir vous isoler à jamais sur quelque terre ingrate.

— Ah, comtesse Mathilde, quand le joueur sait que la partie est jouée...

— Un jour vous ne croirez plus en Dieu, prédit la femme.

— Je n'en suis pas là. Je crois encore éperdument au Père éternel et à Jésus-Christ mais dès qu'on aborde la manière dont a conçu Marie me viennent des doutes... Je prie le Tout-Puissant mais pas les illogismes des Pères de l'Église.

— Sans même demander le consentement de l'évêque du diocèse, décide le comte Thibaut de Champagne, je vous offre une parcelle de terre qui n'a pas de nom près de Nogent. C'est une plaine marécageuse au bord de l'Ardusson – petite rivière au cours indécis. S'y trouve également une forêt sombre à peine défrichée où l'on se perd. Le lieu abandonné aux bêtes sauvages n'a jamais connu aucune construction humaine mais seulement des tanières d'animaux et des fossés remplis des eaux les moins potables.

— Cela m'ira parfaitement! s'enthousiasme Abélard. Merci de compatir à mon épreuve...

— À propos, avez-vous des nouvelles de votre jolie petite épouse dans le couvent d'Argenteuil et puis votre fils à tous deux, maintenant, qui l'élève encore et quel âge a-t-il? s'inquiète la comtesse à la douceur choisie, droit dévouement, et tact virginal.

— ... J'appellerai l'endroit «Paraclet», poursuit le moine imberbe, mot dérivé du grec *Parakletos* qui veut dire «le Consolateur».

38.

— Non, ma très vieille sœur prieure, je ne sais plus où est mon amoureux mais je le retrouverai, je retrouve toujours tout. J'ai appris que, penchés pardessus la margelle, les moines ont finalement vérifié qu'il n'était pas au fond du puits du verger. En fait, il a certainement réussi à s'échapper nuitamment de son monastère.

— J'aurais dû en faire autant si je n'avais pas tellement craint l'excommunication..., avoue une religieuse âgée, assise dans le lit de sa cellule avec plusieurs oreillers derrière son dos. Et donc, depuis votre prise de voile noir, jamais aucun parchemin reçu de lui ni la moindre tablette de cire ?

« Non, pas de nouvelles mais il doit être fort occupé », répond Héloïse – long cri d'adoration qui porte le culte de son amant, la plus grande amoureuse de tous les temps qui y a engagé sa vie entière. Un tel sentiment atteint l'héroïsme. Son amour se confond avec la vertu :

— Moi, je ne m'enfuirai pas car j'ai promis. Je ne m'en irai, joyeuse, au diable, que si Abélard venait m'enlever d'ici. Je suis entière comme l'était mon parrain chanoine. Tiens, qu'est-il devenu, Fulbert ? Probablement décédé je ne sais où...

Courbes flexibles, articulations très minces, et pieds de déesse, celle qui suit par ouï-dire les aventures de son époux, qui ne se lasse d'apprendre ses pérégrinations, regarde, entre les barreaux d'une petite fenêtre, des nonnes au lavoir – nid de lumière et d'eau parmi la brume – qui pendent des nappes à des fils en rendant grâce à Dieu avant que de se diriger vers la salle des prières du soir. Héloïse les observe avec fraternité lorsqu'elle entend derrière elle un glissement de toile tombant sur les tomettes alors elle se retourne et, dans la cellule spartiate, se précipite :

— Oh, là ! Tendez-moi votre main, sœur prieure, que je puisse relever cette chair écroulée. Où voulez-vous aller comme ça hors du lit, vous promener dans les cités ?

— Diriger l'office de nuit...

— Mais vous n'avez plus l'âge, sœur malade. Laissez-moi plutôt changer vos pansements maculés.

Sans emphase ou embarras, la jeune sœur répand quelque bien à son aînée. Elle remplace les étoupes autour de la poitrine maigre de la vieille, pleine d'abcès purulents dus aux piques des cilices qui l'ont blessée au sang sa vie entière.

— Soixante ans de souffrance monacale, soupire l'aïeule à la guimpe empesée paraissant soudée à la peau de sa tête. Tout ça pour qui, pour quoi, au fait ?...

— Soixante ans ?!

Héloïse éberluée s'en assoit à son tour au bord du lit avec encore entre les mains le pot d'onguent et les pansements ensanglantés dont la sœur prieure scrute les taches comme si c'étaient celles du test de Rorschach en se souvenant :

— Quand j'avais votre âge, au scriptorium de ce couvent, j'étais chargée des enluminures. Penchée sur mon pupitre à la pâle clarté des lampes languissantes, je dessinais la prostituée Marie-Madeleine dans des postures scabreuses. Cela me procurait des rougeurs de femme-enfant.

— Soixante ans..., n'en revient toujours pas Héloïse.

— Vous verrez, ma petite, ce sont les vingt premières années de religieuse qui sont les plus difficiles. Après, on se trouve délivrée des tentations de la chair. On se tient à sa place. Entre les jambes, dans ce souterrain que nous avons toutes où brûlait un feu follet, l'araignée y tisse ses toiles.

Tête pâle appuyée au revers d'une main, la vieille confie cela en regardant dehors le tronc d'un arbre qui croît et grossit. De ses yeux consumés, elle n'y voit bientôt plus que des souvenirs de soleils abandonnés.

Une vague rougeur plus triste que le crépuscule filtre à rais indécis entre les plis d'une tenture pendant qu'on entend les autres ecclésiastiques du couvent entonner les hymnes liturgiques de l'office de nuit. La très âgée murmure aussi ce chant religieux qui semble s'élever vers le ciel avec la fumée de l'encens puis elle se tait. Héloïse s'en inquiète :

— Sœur prieure ? Sœur prieure ?!...

39.

Abélard est seul au milieu du paysage. Il pourrait chanter :

Voilà que je me suis éloigné
De la multitude
Et me suis arrêté
En la solitude...

Son cœur est entré dans le silence. Il repense souvent au niveau de fortune et de gloire qu'il a atteint et à la dégringolade si brutale, étrange et terrible qui a suivi et lui permettrait d'être compté parmi les martyrs de la philosophie.

À ses repas dorénavant, quelques herbes pour tout carnage et la myrtille au pied du chêne vert. Dîners d'émoi, soupers d'effroi, pitance dure, l'ermite fait preuve d'une grande frugalité. Orties, asperges des bois, céleri sauvage, herbe à chats. Noix, noisettes, châtaignes, mûres de ronciers, groseilles, framboises, il se régale parfois de la chair de grands oiseaux malades – grues, cigognes – tombés du ciel donc offerts par Dieu. L'ensemble est consommé cru, ce qui indique sa rupture totale avec le monde civilisé.

Il se saccage parfois les dents à tenter de mâcher des queues de castors, lesquels abondent dans la rivière voisine, et lorsqu'il a de la fièvre se soigne au castoréum : sécrétion produite par les glandes sexuelles de ces mêmes animaux. C'est un comble pour un eunuque !

Après la laideur du péché tu connaîtras
la plénitude de l'abstinence.

Dans une vie qui n'est plus consacrée qu'à la méditation, il va à la rencontre de lui-même dans les fourrés. La peau d'un agneau délaissée par un loup, la nuit, lui sert de couverture sur une apparence de banc en bois où il dort dans un oratoire mal fichu en roseaux et toit de chaume mais un matin...

Un matin de fin d'hiver, alors qu'une buée quitte sa bouche tandis qu'il égrène un chapelet aux boules en globes oculaires de faisans, il est surpris par le soudain silence des oiseaux aux alentours, s'interroge puis sort de l'oratoire pour observer le paysage. Devenu bête fauve lui-même, il sent que dans les bois les chevreuils et les sangliers sont aux arrêts et que les lièvres dressent leurs oreilles. Même dans la frange des roseaux sur les rives de l'Ardusson, la bise semble avoir cessé de ruer.

La neige éparpillée dans la campagne ensoleillée reste immaculée. Des bois et des prés vallonnent délicatement jusqu'à l'horizon d'où semble s'élever une vapeur. Abélard fronce les sourcils. Est-ce l'air, là-bas, qui remue la poudreuse ? Ah non, on dirait que ce sont des gens qui viennent. Qui cela peut-il être ? Des traîne-savates sans doute ou des parasites, des saltimbanques. Le vent paraît fouetter leurs longs cheveux et l'on pourrait maintenant croire qu'ils font vers Abélard de grands gestes avec leurs bras. L'ermite interloqué se retourne. Il en arrive aussi au loin, derrière lui, et pareil sur les côtés d'où il en sort des forêts, se redressant comme des champignons. Qu'est-ce que c'est que ça ? La plaine se met à fleurir. Aux grands pas alertes des intrus, on devine qu'ils ne sont pas âgés et bientôt l'on pense découvrir les étincelles de leurs yeux de feu, brillants comme des fêtes. Cette foule contaminante est semblable à un peuple de barbares venu de toutes parts. C'est un putain de printemps qui déboule. À cinquante ans, Abélard grogne : « Qu'est-ce qu'ils viennent me casser les... » mais il se reprend : « Que me veulent ces jeunes ? », ils affluent en des allures de scolares et réveillent le morne univers plombé. La terre se couvre d'eux et l'Ardusson se remet à clapoter. Les tiges des roseaux en dégelant gouttent sur les feuilles des notes de musique. Le moine exilé réentend le flot chanter puis les voix des ados qui lui crient :

« Ah, maître Abélard, on vous a retrouvé ! », « La revoilà, notre idole à la réputation douteuse, renommée insolite et suspecte, célèbre pour ses malheureuses aventures, humiliations bizarres, mais dont, nous, on veut suivre l'enseignement comme nos frères aînés qui en ont gardé un souvenir inoubliable ! », « Dès qu'on a connu le lieu de votre retraite, on s'est alertés d'école en école et nous avons déserté les salles de classe des châteaux et des cités».

La jeunesse turbulente se presse autour de l'ancien maître haillonneux et hagard qu'elle saoule de paroles :

«On est aimantés par votre esprit qui étincelle», «Sur nous, faites rayonner vos idées hardies», «Éduquez une nouvelle génération de scolares».

Ces gamins harcèlent le rationaliste égaré dans son époque pour qu'il reprenne ses cours quand lui, sur cette plaine, espérait davantage d'oubli :

— Vous êtes trop nombreux et comment vous nourrir, où vous loger ?

— On cultivera, demandera de l'aide...

— Bêcher ? Je n'en ai plus la force. Mendier ? J'en aurais honte.

«Alors, entre les heures de classe, on se chargera de tout !», promettent les mômes. «En paiement de votre enseignement, nous vous fabriquerons des vêtements», négocie l'un qui reluque les étoffes déchirées ou usées de l'ajustement de l'adulte au front osseux, visage livide sur lequel il passe la maigreur de ses mains. «Et l'on vous nourrira mieux !», «Moi, j'éplucherai et couperai les légumes de notre futur potager. J'écaillerai et nettoierai les poissons. Je plumerai et viderai les oiseaux en attendant qu'on ait un poulailler», «Nous trouverons le moyen de suspendre une marmite que les flammes d'ajoncs arrachés dans la forêt lécheront. Je sens déjà un fumet au bord de son lourd couvercle. Sur les braises, des pots mijoteront à petits bouillons. Des fèves cuites avec du lard, cela doit faire longtemps que vous n'avez pas mangé ça, maître Abélard ! »

— Oui, mais pour dormir et vous enseigner quand viendront les pluies de printemps ? s'embarrasse le théologien que tout accable. Mon oratoire ne pourra vous abriter...

« On en construira un autre ! », s'exclament ceux qui ont réponse à tout. « On bâtira notre école », « Oui ! Nous élèverons un petit moustier en charpente et en pierre. J'ai observé la manière dont s'y prenaient les maçons ajoutant une tourelle au manoir de mon père... », « Autour de ce premier édifice commun, nous dresserons des tentes et l'on ne regrettera pas les couches molles en duvet de chez nos parents pour ces lits d'herbe près de vous nous expliquant la logique du déplacement des étoiles ».

Le philosophe songe alors à son fils Astrolabe du même âge qu'il aimerait savoir parmi ces élèves qui, à tour de rôle, racontent un rêve selon leur inclination naturelle et individuelle :

« L'adret de ce coteau sera couvert de vignes dont nous boirons au tonneau le vin de Champagne », « Dans la rivière tourneront les pales d'un moulin léger qui moudra notre farine pour en faire de gros gâteaux », « Prêts à besogner, nous irons aussi à la chasse au gibier féminin. Ce sera la foire aux couilles. Oh, pardon maître Abélard !... », « Vous évoquerez le domaine épineux de l'authenticité des vies de saints et les projets d'œuvres de ténèbres que vous oserez faire naître », « Allez, dites oui, maître ! ».

Devant l'élan de la jeunesse, un ennui d'on ne sait quoi afflige Abélard. Alors qu'il devrait être fier et heureux de ce qu'il entend, il se sent menacé. Ses malheurs passés l'ont échaudé. Il vit dans la crainte.

40.

Héloïse, religieuse cultivée comme peu de femmes le sont en ce siècle, traverse la foule de nonnes qui s'écarte pour lui faire place à l'intérieur de la bibliothèque du couvent d'Argenteuil dont la porte reste ouverte :

— Mes sœurs, asseyez-vous sur les bancs et prenez votre tablette de cire. Je vais continuer de vous apprendre à lire et à écrire. Allez, on y croit !

Sans lassitude ni ennui, dans sa robe de laine noire, Héloïse leur explique souvent les philosophes grecs et latins, un peu les sermons des Pères de l'Église mais pas trop.

— Ce matin, vous tenterez de lire puis d'écrire le début d'un conte du siècle dernier que j'ai recopié à la craie sur ce tableau. Le titre en est *Le Cœur mangé*. Ça raconte l'histoire du trouvère Guillem de Cabestany qui a séduit l'épouse d'un seigneur. Le mari jaloux, après l'avoir assassiné, donna le cœur de l'amant à manger à sa femme. Sans doute que pour elle, esprit vaincu, la amour n'eut ensuite plus de goût.

Dans l'encadrement de la porte de la bibliothèque, la mère supérieure contemple celle au pas doux tel un stylet sur la cire très blanche qui circule entre ses élèves, corrigeant ici le dessin d'une lettre, rabotant là un mot incomplet qu'il faut recommencer à noter correctement.

Abnégation de cette sorte de maîtresse d'école qui a définitivement aliéné sa liberté. Timbre angélique qui entrelace les paroles, en affine les sons comme la langue s'enroule au baiser. Recueillie d'expression, gracieuse d'accueil, le parfum de sa vertu est également pénétrant et durable lorsqu'elle commente :

— L'épouse du seigneur regretta éternellement son amant.

Après le cours, les nonnes la remercient chaleureusement et l'abbesse vient lui annoncer :

— Puisque la sœur prieure qui vous appréciait aussi tellement a rejoint les anges, je vous propose sa place.

— Sœur prieure, ma mère ?!..., s'étonne l'orpheline. Devenir la deuxième dans l'ordre hiérarchique du couvent après vous, moi, une religieuse sans vocation ?

— Oui, vous.

41.

En Champagne et à bonne distance des cités, des quantités de scolares venus de l'Europe entière s'activent sur les terres du Paraclet. Certains plantent des poiriers et des pruniers tandis que d'autres des épinards, de la sauge, du basilic dans le jardin d'herbes. Ils défrichent les terres et les irriguent en habits d'élèves ce qui amuse les paysans, vêtus de tuniques et de braies, qui les observent depuis le sommet des collines alentour mais constatent que les plaines labourées par les novices se couvrent peu à peu de blé.

Plusieurs de ces enfants des villes tressent des paniers grâce aux joncs apportés par ceux qui sont allés dans l'Ardusson pêcher au filet des perches, des carpes, des anguilles et des brochets. Ça fabrique aussi, autant que se peut, des meubles simples – tables, bancs, coffres. C'est parfois maladroit mais si plein de bonne volonté et de bonne humeur. Ça travaille en chantant :

Boire à la Capucine
C'est boire pauvrement,
Boire à la Célestine

C'est boire largement,
Mais boire en Cordelier
C'est vider le cellier !

À l'un qui propose sa gourde, l'autre répond :

— J'ai arrêté de me saouler le jour de peur que mes dents rouillent et puis nous avons tant à faire.

Ah, ça y va, les outils en bois !... dont la grande louche de hêtre remuant un échaudé – lourd gâteau qui tient au ventre – poché dans l'eau bouillante du chaudron. Tout près, deux frêles trépieds supportent un bâton d'où pendent des jambons de chevreuil, quartiers de lard, poulets fumés. Le bois, c'est plus difficile pour l'araire aux branches emboîtées, usant à manier dans le potager surtout lorsqu'on n'a pas encore de bêtes de trait pour l'y atteler. C'est un étudiant qui s'y colle, fait le bœuf en soufflant :

— Il faudrait un jour en fabriquer de métalliques qui plongeraient plus profondément leur soc et retourneraient donc mieux la terre plutôt que de se contenter de l'égratigner.

Au bout de son rang, revenant dans l'autre sens et en nage, il grommelle que plus tard, peut-être, il inventera ça.

Avec de plus ou moins longs fils en crin dénichés dans des écorces contre lesquelles des bêtes sauvages sont venues se frotter et des arêtes de poisson servant d'aiguilles, d'autres disciples cousent pour Abélard des vêtements cocasses, réalisés à base de tissus provenant des leurs. L'un a offert sa manche droite, d'une certaine couleur, l'autre, la gauche, d'une teinte différente, celui-là son col, cet autre son capuchon, et beaucoup, le bas de leur robe, alors ils s'en trouvent habillés un peu plus court qu'à leur arrivée au Paraclet. Le philosophe se balade en l'un de ces accoutrements bariolés. Ça lui donne l'apparence d'un comédien que l'on peut voir maintenant s'asseoir au pied d'un grand chêne.

Stylet à la main, il a récupéré la tablette de cire que chacun des scolares avait apportée avec lui. Il y en a un gros tas. Ça forme un énorme codex que le théologien ne cesse d'écrire.

— Mais qu'est-ce qu'il rédige?

— Un nouvel ouvrage qui aura pour titre *Sic et Non* (Oui et Non) où, sous forme de cent cinquante-huit questions, il pointe toutes les incohérences de la religion chrétienne.

Le catholicisme, dans cette œuvre téméraire, s'effrite à grands pans de la philosophie d'Abélard (ça lui promet encore quelques emmerdes pas piqués des vers). Alors que, de ses phrases anticléricales, il laboure la cire, beaucoup d'étudiants transportent des cailloux prélevés dans le lit de la rivière pour, ensuite, sans joints, les entasser en épais murs de pierres sèches afin de bâtir le petit moustier auquel ils tiennent tant. La cheminée du bâtiment est déjà en place, prête à recevoir du bois de chauffage, mais le toit pose problème. Comment s'y prendre pour faire tenir en l'air un plafond qu'on voudrait arrondi et dont les travées, dotées de deux nervures, devraient se regrouper en un point central formant quatre quartiers quand on n'est pas du métier ? Ces jeunes intellectuels se grattent la tête lorsque, très au loin, on entend sonner l'angélus. Alors tout le monde cesse de travailler car c'est l'heure du cours tant attendu.

Folastres et frénétiques, à la fin d'une longue journée et avant le coucher du soleil, ils marchent vers le maître à grands pas sourds sur les épais tapis d'herbe en s'interrogeant :

— Que va-t-il nous enseigner ?

La bande de bruyants disciples s'assoit en tailleur et en cercle autour d'Abélard debout qui pourra ainsi se tourner pour s'adresser à son auditoire. Ils font à présent silence, suspendus aux lèvres de leur roi, visage osseux creusé par la lueur tragique de la fin d'après-midi, qui les nourrira de sa philosophie.

Les humiliations qu'il a subies n'ont réussi qu'à augmenter sa gloire. Tant de vieux jaloux tentent d'éteindre l'éclat de son nom mais la jeunesse le fait resplendir encore davantage. Plongé dans sa rêverie, menton entre les doigts, il improvise son cours en déclarant :

— En vérité, le reflet du miroir n'est rien !

L'émotion intérieure d'une grande curiosité agite alors soudain l'esprit des scolares et la voix d'Abélard, montant du fond de sa gorge, se fait aiguë. Sans propos emm... nuyeux, il justifie sa pensée à ceux qui s'occupent de tout afin de lui laisser la liberté d'écrire et de les éduquer. Gourde enfin au poing, ils s'étourdissent de sa dialectique et du vin des coteaux, répondent à ses questions. Ce maître, en bon pédagogue, est à l'écoute de ses élèves. Il leur demande des démonstrations plutôt que des discours. L'ensemble constitue une série de disputes scolastiques de haute volée et mériterait les applaudissements du siècle. La leçon est la récompense de ces enfants qui triment depuis le matin. Tiens, voilà l'étoile du berger !

42.

— Sœur prieure ! Sœur prieure !...

— Quoi, sœur portière ?

— Ça y est, on sait où IL se trouve !

— Où ? demande Héloïse en s'asseyant aussitôt prudemment sur un banc placé contre un mur d'une sacristie pieusement décorée de fleurs et remuant vite un *flabellum*, noir éventail cérémoniel, devant sa figure car maintenant elle se méfie des nouvelles arrivant par le judas du portail de ce couvent d'Argenteuil.

— Sur une plaine de Champagne, sirène des écoles, IL a attiré une extraordinaire affluence de scolares. Et avec quel dévouement ils se sont mis à son service, avec quelle soif ils se désaltèrent à cette source de savoir et d'éloquence, *quo logices*. C'est comme une congrégation qui s'abreuve au souffle de sa logique mais il y a des jaloux.

L'accéléré va-et-vient de l'éventail s'arrête net.

43.

Alors que le soleil bascule à l'ouest, debout au sommet d'une petite colline, Abélard, enveloppé dans une couverture de tiretaine comme s'il avait froid, s'adresse à ses élèves assis autour de lui sur les flancs du monticule :

— Il faut que je vous parle.

Depuis l'arrivée au Paraclet des premiers scolares, il en a déboulé ensuite tant d'autres, venus de cités lointaines, que cela en fait une quantité incalculable et semble mettre le philosophe dans l'embarras. Afin d'être vus par eux tous, maintenant il lui faut se trouver en hauteur et ça le gêne :

— Vous êtes trop nombreux. Vos abandons massifs de toutes les écoles de France suscitent la rancœur des autres maîtres. En quittant leurs cours, ils ne perçoivent plus vos écolâtres et bouillonnent de colère contre moi.

Les gourdes de vin qui circulaient de main en main s'immobilisent car les jeunes ne veulent plus boire mais seulement écouter la suite :

— Votre ferveur a déclenché l'hostilité de beaucoup. Je me trouve pris entre les serres aiguisées de la diffamation, de la calomnie. On colporte en mon endroit des racontars et des insinuations. Je suis mis en pièces. Je souffre sous ce déferlement de boue. Tel qu'à grands coups de nerfs de bœuf, me voilà sous un orage de haine et au milieu d'un tourbillon d'injures. Pour preuve ce parchemin, écrit par Bernard de Clairvaux, arrivé ce matin au Paraclet et qui vous est destiné. Je vais vous le lire.

Ô vous, scolares assoiffés de doctrine
Qui pensiez être venus
entendre une sorte de Jésus,
Écouterez-vous encore longtemps ce larron ?
Dans votre trop grande réunion
Écouterez-vous ce Gnathon
Digne de rires et de mépris ?
Qu'ose-t-il vous enseigner ici ?
Qu'il s'en retourne à sa cucullle
Reprendre l'habit qui l'a vêtu...

Le théologien accablé soupire :

— Tous les maîtres du royaume et trop de Pères de l'Église me surnomment « Gnathon »...

— Du même nom que le parasite dans *L'Eunuque* écrit par Térence ? demande un élève.

— Oui. Ils me déchirent sans pudeur, se moquent de mon infirmité comme aussi, par exemple, Anselme de Laon qui pour me conseiller de vous quitter fait mine de me consoler. Écoutez donc ce que celui-là m'écrit.

Le logicien déroule un autre parchemin et lit à voix haute :

Va-t'en du Paraclet et rejoins les villes, Pierre l'Incomplet. Tu y estimeras d'un grand prix de ne plus être suspect à quiconque et donc de pouvoir être reçu en hôte de confiance par tout le monde. Grâce à ta castration, les maris ne craindront pas de ta part l'outrage à leur épouse ni le martèlement de leur lit. C'est avec la plus grande décence que tu pourras passer impunément au milieu d'une foule de dames élégantes. Tu pourras sur les places des cités, les jours de Carnaval, admirer en toute sécurité et sans péché les chœurs de jeunes filles resplendissantes dans la fleur de leur jeunesse alors que les mouvements des robes dévoilant les jambes enflamment habituellement le désir même chez les vieillards abandonnés par la chaleur de la chair et tu ne redouteras plus ni leur approche ni leurs pièges. Tu verras... Tu seras plus heureux. Tu connaîtras mieux ce que je te dis par l'expérience des faits que par la valeur de mes paroles d'explication. Alors vas-y et laisse revenir aux autres maîtres de France les scolares que tu leur a volés !

— Ah, qu'il a un rire jaune, ce mangeur de safran ! commente un élève dégoûté.

Abélard reprend :

— Il en est aussi qui débitent sur mon honneur des choses plus monstrueuses encore, qui prétendent que je prends votre argent pour m'empresser de le faire porter à une fille que j'ai connue et qu'ils nomment «ma putain d'Argenteuil», rémunérant ainsi le stupre de mon passé.

— Tort! Tort envers notre maître!... scandent les scolares assis sur les flancs de la colline.

— Je me sens menacé, justifie le philosophe, par ces limiers sur ma trace acharnés à me perdre. Contrariants comme on l'est peu, nom de Dieu, ils n'en font qu'à leur tête! Débordé par mon succès, je crains de nouvelles représailles. Dans cette chasse à l'épieu, j'ai des raisons de croire qu'on me jettera encore en prison.

Se retournant, d'un ton sourd, il parle aussi de feu, de bûchers et de sang. Il regarde les ajoncs du bord de l'Ardusson, entend son flot qui pleure sur le bonheur mort et les torts dont on l'accuse à cette date et cette heure. La nuit commence à s'épaissir ainsi qu'une cloison :

— Je n'avais que vous de sable dans ma dune au clair de lune mais aujourd'hui s'éparpille ce que j'ai rêvé.

Devant les jeunes gens émus, il poursuit :

— Je m'attends à tout instant d'être conduit devant un nouveau concile en tant que profane. Dès que j'apprends que des prêtres se réunissent, j'imagine que c'est pour former le synode qui me condamnera. Souvent, je tombe dans un tel désespoir que j'envisage de fuir les pays catholiques pour me retirer chez les idolâtres, aller vivre parmi les ennemis du Christ, les musulmans d'Espagne. J'ai peur. J'arrête mes cours !

— Oh, ben non, maître !... sanglotent des élèves à travers leurs gémissements.

— À Saint-Gildas-de-Rhuys, dans l'évêché de Vannes en Bretagne, Harvé, l'abbé d'un monastère en bord de mer, vient de mourir. Comme personne ne veut y aller, on m'a proposé la place. Ce n'est pas très loin de mon lieu de naissance. J'y rencontrerai peut-être mon fils de votre âge. Éreinté par trop de vexations que j'ai subies ailleurs, je vais sans doute accepter. Je vois là l'occasion de fuir mes ennemis. Entre les écueils et les grèves de l'Océan, j'y espère un abri plus sûr.

Autour d'Abélard, plus un môme ne moufte sauf un, grand, mince de taille et beau de visage, doux de regard, silencieux par habitude :

— Oh non, maître ! Les terres que nous avons cultivées ici tomberaient alors en jachère et l'oratoire en pierre du Paraclet que nous avons bâti deviendrait un ploratoire délaissé par nous également. Vous ne ferez pas ça, hein, maître ?...

44.

Le vent a un goût de sel et, dans des sandales déglinguées de vieux soldat fatigué, les orteils d'Abélard sont enflés, pleins d'ampoules et de crevasses ressemblant au paysage déchiqueté de cette côte bretonne. Plus de cent soixante lieues (560 km) à pied, ça use les souliers et la santé du marcheur qui s'approche d'une abbaye située sur un promontoire continuellement fracassé par les vagues d'une mer hurlante. Des collines d'écume en assiègent les rocs dans des sons retentissants et le monastère ressemble à un navire en perdition au bout du monde. Ensuite, c'est l'océan qui mène jusqu'où ? Le saura-t-on jamais ? Aucun navigateur parti tout droit n'est revenu raconter, regrette Abélard en frappant lourdement du poing contre un épais portail orné de pieds de sangliers, d'ours et de biches – récents trophées de chasse dont le sang ruisselle le long du bois de chêne où le judas tarde à s'ouvrir. Autour de l'édifice en granit, les mares formées par les pluies d'automne reflètent des nuages roses ronds comme des culs mais ça y est, derrière une petite grille, apparaît le visage ahuri d'un gros moine essuyant sa bouche luisante et ôtant des poils blancs d'entre ses dents sales :

— *Devezh mat !* salue-t-il rudement en breton.

— Bonjour, répond le philosophe. Je suis votre nouvel abbé désigné par Conan III, le duc de Bretagne.

— *Petra ?* (Quoi ?)

— Ah, vous ne comprenez pas le français ? Préférez-vous que je vous parle en latin ? *Sum...*

— *Petra ?*

— Abélard ! Moi, Abélard !... insiste le voyageur en tapotant un index contre sa poitrine.

— Ouh !..., se marre aussitôt l'autre. Ablord ? Ablord... couic, couic ?!

— Oui, si vous voulez, se désole le théologien en découvrant que la nouvelle de sa mésaventure est arrivée jusqu'aux eaux de l'océan. Puis-je entrer ? demande-t-il ensuite en singeant, du basculement latéral d'un avant-bras, le mouvement d'une porte qui s'ouvre.

Un battant s'écarte en grand et le moine portier court aussitôt, boitant, vers une sorte de guérite et se répétant :

— Ablord ! Ablord couic-couic...

Tandis qu'on entend bêler dans l'abri, il en revient, tenant deux rouleaux de parchemin qu'il tend au visiteur en lui montrant le nom inscrit dessus d'un air vainqueur :

— Ablord ! Ablord couic-couic !

— Oh, j'ai déjà reçu du courrier ici apporté par un cavalier ?, s'étonne le logicien découvrant sur un rouleau le cachet de cire rouge gravé du sceau de l'abbaye d'Argenteuil et sur l'autre celui du monastère de Cluny.

Le bossu moine portier, créature semi-légendaire, se met à tourner autour de son nouvel abbé tel un simple d'esprit dévoyé et passant devant, soudain, il tente de lui soulever sa soutane pour voir comment c'est dessous.

«Oh! Mais ça ne va pas, non?», l'engueule l'eunuque pendant que le tout à fait difforme, entre humain et animal, sourit, hurle, et se contorsionne en retournant vers sa guérite où Abélard le voit attraper une chèvre par la croupe pour...

— Oh! s'exclame le nouveau venu scandalisé. Un cathare bulgare!... ajoute-t-il pour dire «zoophile» alors que le moine portier du monastère de Saint-Gildas-de-Rhuys, poils de cul de bovidé entre les dents, hoche vers la gauche sa tête énorme munie d'une hure pour indiquer l'entrée de l'abbaye.

Cette scène infernale fait jaillir une somme d'angoisses dans la poitrine du philosophe qui, ses deux parchemins à la main, passe sous le porche du lieu de culte.

À l'intérieur, les murs, les voûtes et les statues sont peinturlurés de couleurs criardes. Des sculptures, il y en a ici à grand-foison et toutes sont obscènes. Là, c'est la représentation d'une nonne allaitant un singe et à côté une jeune fille couronnée de fleurs, chevauchée par un bouc. Autour des porches s'accouplent des centaures avec des monstres marins, des furies avec des chats-tigres rayés. C'est une diabolique arche de Noé. Toutes les décorations exhibent des phallus, des cons, des scènes explicites de sodomie et de fellation. Abélard en reste soufflé. Sac empli d'un peu de linge sur une épaule, il n'en revient pas :

— Mais que font en un lieu saint ces monstruosités risibles qui suscitent dépravation, luxure, dégoût de la prière ?!...

Le théologien se trouve entouré de traces païennes semées dans les recoins. Aux bras du Christ, pendent des casiers à fromages et des viandes séchées. Le hideux cauchemar visuel n'a pas de trêve et va furieux, fou, comme un cortège de loups. Quant aux humains qu'on voit dans l'abbaye, alors là...

Tel que le long de l'imposant trumeau, situé dans la partie orientale de l'édifice, tout taillé d'animaux qui se roulent des pelles, se bouffent le derrière, mêlent plumes, écailles et poils, génitoires à l'air, les moines d'ici font de même.

La singularité du lieu est surpassée par celle des hommes en soutane à l'assaut de laines de paroissiennes (qui n'ont rien à faire ici!) dans lesquelles ils s'engouffrent comme au creux d'abîmes, en ressortent curieusement par d'autres bouches à la manière de laves jaillissant de cratères. C'est n'importe quoi! Partout, des falaises à pic de fesses nues enlèvent à l'abbaye son rôle premier. Des mouches agacées vrombissent. On se croirait vraiment dans la partouze en pierre du trumeau. Gargouille impudique, une femme devenue salée et malgracieuse avec l'âge porte une profusion de colliers qui sont autant de chaînes du diable et elle blasphème le nom de Dieu, de la Vierge, tandis qu'elle se fait hurtebiller par un moine aviné. Là, ce meunier poudré de blanc est entendu à confesse par le curé qui le suce. Sa femme sans doute – car elle a aussi des traces de farine – est une dégénérée des premiers âges. Repaire femelle de toutes les barbaries et de tous les vices, elle propose un maillet à un moine pour qu'il tue le nourrisson qu'elle lui tend également et dont il est peut-être le père. Le nouvel abbé de Saint-Gildas s'en porte une paume aux lèvres.

Ses pensées flagellées par un vent qui ne vient pas du ciel bouillonnent pêle-mêle dans son crâne avec un bruit d'orage. Vêtu d'une chape noire à capuchon, le voilà donc au bout de la terre sans possibilité de fuir plus loin. En disant à voix basse son chapelet, ce qu'il découvre est-il un avant-goût de l'enfer? Debout près de la bouche circulaire d'une canalisation d'eau courante qui va jusqu'à la mer, il voit tout à travers un brouillard sale. Ses yeux creux se peuplent de visions, de batailles de culs, d'attitudes grivoises et même sadiques, de chairs vives livrées, de moines *convertissant* des pucelles déjà prêtes à la besogne. Là, c'est la nudité sous un tulle et des saillies improvisées sans retenue. Et puis il y en a qui se fâchent. Après une rude distribution de horions, une cervelle de moine vole sous la frappe d'un coup de tison. Il était gras et fessu. Des dames couvertes de vair et de petit-gris, fourrures sensuelles, viennent dessus s'en faire boucher les trous en riant effrontément. Elles soufflent gaiement des bulles rondes qui montent dans l'air. Ce supplice aura-t-il jamais une fin? se demande Abélard. Un héron est lâché dans la salle suivi d'un faucon chargé de le tuer. Le philosophe observe le spectacle. Plus rien ne l'étonne, ni ce frère qui pisse dans une écuelle qu'il donne à boire à un aveugle ou bien, là, ce bras d'honneur, ce majeur levé, cette langue tirée, ces tempes frappées de l'extrémité d'un index suggérant un dérangement mental quand Abélard, par grands gestes, leur intime l'ordre de tout arrêter. Lui qui, souvenez-vous, ne s'était pas gêné avec Héloïse, a pris la sexualité en horreur. Parce que monsieur n'a plus de couilles, voire de bite, il faudrait que les autres cessent de baiser. La réponse des frères du couvent celtique est une bordée d'insultes dignes d'une taverne même si l'abbé de Saint-Gildas ne les comprend pas. Ensuite arrive un florilège de gros mots, d'expressions fort désobligeantes telles qu'on n'en trouverait que dans un lexique d'injurologie bretonne. Les frères balancent des excréments sur leur nouveau père monastique, l'en maculent comme s'ils répandaient de l'encens.

— Oh, les maudits culverts !...

Au bord de cette Bretagne que même Rome renonça à dominer, des pleurs plein les mains, Abélard a dans l'idée de réformer intégralement le monastère. Ce n'est pas gagné...

45.

— Sœur prieure, j'ai appris par notre abbesse, qui ne sait depuis plusieurs mois comment vous l'annoncer, qu'IL n'est plus au Paraclet ! À pied, IL s'est enfui de là également.

— Oh, mais c'est une manie ! Bien la peine que je me sois sacrifiée dans l'unique but qu'il n'ait pas à vivre dehors alors qu'en fait il s'y trouve continuellement en randonnée.

— Non, IL s'est renfermé lui aussi.

— Ah bon, où ça, sœur portière ?

— Dans un monastère breton.

— Et ça se passe bien ?

— Bah... Demandez à l'abbesse.

46.

Dans le scriptorium celtique inutile car dépourvu de moines sachant écrire, Abélard finit de rédiger lui-même sa réponse à la première des deux lettres reçues le jour de son arrivée. Tandis que du cuivre d'un sceau monté en bague (objet qu'il a fait graver lors de son passage à Vannes) il scelle son parchemin au milieu d'une cire qui se creuse, il ressent soudainement sur une épaule l'abattement d'une lourde paluche pouvant lui arracher la tête. C'est celle du moine portier qui a quelque chose à lui dire :

— Ablord couic-couic !...

L'abbé pivote vers l'affreux.

Afin d'être parfaitement compris quant à ses intentions par le père monastique, l'antipode de tout être normal commence par étaler deux paumes devant lui d'un mouvement fataliste qu'on pourrait traduire par « Puisque... ». Puis, de deux doigts tendus qu'il écarte et referme à la manière de lames de ciseaux, on comprend ce qu'il veut rappeler au théologien. « Mais !... » semble-t-il exprimer, index brutalement tendu en l'air. Après avoir tapoté la poitrine du philosophe comme s'il allait pour un temps être lui, il se retourne, s'écrase d'un pli la soutane entre les fesses tout en hochant sa tête ravie. Il se remet de face et, dans la posture d'une fileuse de laine, il tournoie un avant-bras dans une circulation qui paraît vouloir dire «alors...». Grosses pognes devant lui ainsi que s'il attrapait des hanches, il se lance dans de frénétiques secousses des reins en poussant des «Hin! Hin! Hin!» suivis bientôt d'un «Waouh!!!». Puis enfin, après avoir désigné l'abbé, il porte le revers d'une main à son front renversé en une sorte de convulsion.

Se remémorant dans l'ordre l'ensemble de la scène mimée, l'abbé de Saint-Gildas-de-Rhuys traduit ce qu'il vient de voir par :

— Puisque... on vous a coupé les couilles... mais... que vous avez sans doute encore fort heureusement un anus... alors... je pourrais vous «Hin! Hin! Hin!», éjaculer entre vos fesses... et vous en seriez bien content.

Comme quoi, il n'y a pas que sa collègue d'Argenteuil qui annonce de drôles de nouvelles...

Le plus grand philosophe du siècle se demande s'il cauchemarde. Ce doit être le cas car il découvre également derrière lui d'autres frères venus ici faire de ces choses... Ah, ils ne se récitent pas des patenôtres! Pour Abélard, à qui on attribuerait le sexe d'une poule, c'est épouvantable à regarder. Ils jouent à certains ébattements en matière de farce. Soutanes relevées, ce sont des luttes de corps prolongées et controversables. Raides obscénités monacales voulant tout essayer, expérimenter – la femme, l'homme, la bête –, dans des haleines de cidre et de rissoles (beignets salés), la fatalité de l'abbaye ne connaîtra plus de trêve ; le ver est trop dans le fruit. Abélard s'en trouve confus et désorienté. Quoique ne parlant pas breton, les appels celtiques « Au trou du cul de Lucifer ! » ne sont guère appréciés par l'abbé. En maître moralisateur trop soucieux de la probité, ayant repris haleine et d'une voix cassée, il ordonne aux frères de Saint-Gildas de ranger leurs infâmes testicules.

— *Petra ?*

Ils ne répondent pas aux attentes qu'il espérait. Lui ne répond pas non plus aux leurs car ils auraient préféré un père partageant avec eux coutumes vicelardes et baragouin mais celui-là, d'un doigt tendu, les désigne un à un puis leur montre la campagne, les chasse de son monastère :

— Mal faits, vous ne pensez tous qu'à méfaits ! Dehors, tas de malades !

Le seul qu'il absout c'est le moine portier car, lui, c'est vraiment un pauvre gars. Gros poils, larges oreilles, gueule immonde, cou engoncé entre d'épaisses épaules (folle entreprise serait de vouloir le décrire davantage car bien trop vilain), il sort du scriptorium en claudiquant pour faire expédier par un cavalier le parchemin-réponse d'Abélard scellé sur lequel on peut lire : *Mère supérieure du couvent d'Argenteuil.*

Quant aux frères qui ont compris qu'ils étaient virés, ils font plus grande crierie que jamais Abélard n'en a ouï. L'un lui montre son cul, l'un casse un vitrail, l'un descend jeter du sel au puits. Il y a un grand néant. Celui parti contaminer l'eau potable de l'abbaye revient avec un potage fumant qu'il tend à l'abbé :

— *Debriñ !* (Mangez !)

Le logicien observe le moine qui, repartant, chuchote à l'oreille des autres puis hume sa soupe. Par la fenêtre, il jette en bas l'écuelle sur laquelle se précipitent des chiens. Ils crèvent.

47.

Dans la roberie du couvent d'Argenteuil, parmi des habits pendus de religieuses, Héloïse renifle la nauséeuse haleine de la nonne qui l'aide à sortir les robes d'hiver alors elle lui parle maternellement d'hygiène dentaire :

— Vous devriez frotter vos dents et les tenir nettes. Rien n'est si laid quand vous chantez matines ou priez que de découvrir des dents noires comme un corbeau et sentant mauvais. Pour les blanchir, il faut frotter dessus du corail en poudre ou de l'os de seiche écrasé. Je peux vous en donner ainsi que le cordon en soie d'une esguillette que vous passerez entre chaque dent. Filez donc chercher de tout ça près du lit de ma cellule.

— Merci, sœur prieure...

Alors que la novice quitte la roberie, l'abbesse y arrive, collée aux basques par la sœur portière qui ouvre la bouche mais la mère supérieure ordonne :

— Non, laissez-moi lui raconter !

Intelligente, découvrant la précaution de l'abbesse, Héloïse sent qu'il y a un gros problème :

— Quelle tête, ma mère ! Encore quelque chose qui ne va pas ?

— Dur souci parmi d'autres soucis aussi...

— Pour Abélard ?

— Non, pour nous.

L'abbesse hésitante tend ses mains vers une cheminée où flambent des bûches afin que les habits de religieuses ne moisissent pas ici puis elle se décide :

— Je vous explique, ma petite. Adam, l'abbé du monastère de Saint-Denis, quand il a lu une des premières copies de *Sic et Non*, le nouveau livre de votre époux, est mort d'une crise cardiaque.

— Oh, c'est fâcheux, regrette sincèrement Héloïse.

— Oui, si on veut. Mais aussi... quand on est fragile du cœur on ne fait pas venir de Vannes, où ils sont à recopier sur parchemin, un ouvrage de votre mari pour le lire. On reste prudent ! On sait que c'est dangereux. Mais bon ! Non, le problème apparaît avec son remplaçant : l'abbé Suger...

Venant humer quelques dernières traces d'haleine que la nonne a laissées parmi les robes, la supérieure estime que « ça leur ferait du bien de prendre un peu l'air » tandis qu'Héloïse cherche à comprendre :

— Eh bien, Suger, ma mère ?...

— Eh bien, il s'est mis dans la tête de diriger également l'abbaye d'Argenteuil.

— Impossible puisque c'est un couvent de femmes !

— Ce ne le sera plus. Le nouvel abbé a retrouvé d'anciennes chartres oubliées démontrant qu'en fait, depuis toujours, le monastère de Saint-Denis est propriétaire de celui d'Argenteuil où, au cours des siècles, des religieuses se sont installées mais que maintenant il veut les évincer sans ménagement afin d'y loger d'autres moines. Le roi accepte et le pape a donné son accord dans une bulle adressée à Suger qui ne nous propose nulle part où aller.

Héloïse ne s'écroule pas comme un torchon. Elle reste debout et droite. À force, elle a appris à encaisser n'importe quelle onde de choc mais elle s'approche à son tour de l'âtre où brûle un enfer :

— Que l'abbé de Pseudo-Denis soit blasphémé et le démon vénéré à sa place, que son âme se perde, que sa foi soit foulée aux pieds !

« Oh, on dirait des écrits d'Abélard d'après ce qu'on m'en a raconté !... » commente la sœur portière alors que la mère supérieure déplore :

— Nous avons reçu l'ordre de rapidement quitter les murs pour que l'abbaye de Saint-Denis puisse de nouveau entrer en possession de tous ses biens. Ne sachant où aller, nos religieuses errantes formeront sur les chemins du royaume le long convoi d'un couvent nomade sauf...

— Dehors ? Mais alors il n'y aura plus besoin de sœur portière ! s'inquiète la moniale derrière l'abbesse.

— Sauf, ma mère ? aimerait savoir Héloïse.

— Sans vous le dire, j'ai expédié un parchemin à votre mari en Bretagne pour lui demander, puisqu'il l'a abandonné, s'il pouvait céder le Paraclet champenois afin d'y créer une abbaye à l'usage des sœurs d'Argenteuil.

— Avec un portail ? questionne la sœur portière.

— En vue d'un tel arrangement et dans le but d'être convaincante, je lui ai aussi précisé que je vous y laisserais mon poste de mère supérieure... et ce d'autant plus facilement que, pour rejoindre ma famille, j'ai demandé d'être relevée de mes vœux auprès de l'évêque qui a accepté étant donné la situation si singulière. Les autres sœurs auront besoin de vous. Les nonnes que vous éduquez et auxquelles vous êtes tellement attentive vous considèrent déjà comme leur mère.

Peu flattée par l'honneur de la promotion envisagée, la prieure soupire :

— Je devrais plutôt moi aussi me défroquer, déclarer : « Levons l'ancre, il est temps ! Ce pays monastique m'ennuie. »

— Vous ne croyez plus en Dieu, ma petite ?

— Ce serait embêtant pour une mère supérieure... estime la sœur portière.

— Je crois en quelque chose de très spécial, en tel *Ave* contre tel mal mais j'arrête là. Pour une religieuse, la règle numéro un est le silence.

— Vous dites ça pour moi ? se vexe la préposée aux clés.

— En tout cas, je n'ai pas encore reçu le moindre parchemin de votre époux, s'impatiente celle qui est encore abbesse.

— Il ne répondra pas ou refusera, prédit celle qui se couvre d'un long regard triste. Les pensées très ailleurs, à présent il se rit de mon cas comme de celui du chat qui n'a qu'un œil. Jamais une lettre, jamais un signe, jamais une marque d'attention ou preuve qu'il pense encore à moi.

— Qui sait... espère la sœur portière.

48.

Pendant qu'une aube rose se lève sur les vignobles de Champagne, devant un reposoir en bord de chemin défoncé, quelques enfants jouent déjà des mystères le long d'un convoi immobilisé et composé de chariots chargés de statues de la Vierge, d'habits religieux, de vaisselles liturgiques, de livres sacrés. En sabots emplis de paille, des sœurs et des nonnes grimpant à bord s'apprêtent à reprendre la route :

— Hue !...

Les bœufs du cortège, en secouant la tête, se remettent en branle pour tracter les lourdes basternes tandis qu'en face un méchant cheval réfractaire à la bride, rapide, n'avance plus à leur rencontre qu'à faibles bonds. Alors que l'équidé enivré broie et mâche son mors, le cavalier qui le chevauche demande :

— Je cherche une dénommée Héloïse.

« C'est moi », répond la trentenaire à longue chevelure tressée comme celle d'une sirène qu'elle range à l'arrière de sa guimpe. Munie du peigne et du miroir, elle dissimule les derniers cheveux blonds apparents autour de son visage pendant que le soldat lui explique :

— Ma mère, le Paraclet perdu entre des collines et sans chemin d'accès n'étant pas aisé à trouver, je vous guiderai à travers les broussailles jusque là-bas où le comte Thibaut de Champagne et sa femme Mathilde vous attendent.

Les bêtes de somme parties de Sainte-Marie d'Argenteuil continuent d'avancer. À l'horizon, vers l'est, luit l'espoir. L'herbe respire. Le ciel devenant clair s'égaye du gazouillis d'une alouette. Les prés, les champs, accueillent doucement son « tire-lire » en un flot si pacifique qu'il ne faut pas d'autre musique.

Béatitude de la fin du voyage... jusqu'à une jungle d'herbes trop hautes où, tandis que sonnent des trompettes, le seigneur, accompagné de sa dame, accueille l'abbesse qui descend la première du chariot de tête :

— Bonjour, mère Héloïse, et bienvenue chez vous, mes sœurs. Je serai votre protecteur, promet Thibaut en mantel demi-cercle flottant, attaché devant par un bijou et une cordelière.

Son épouse, ceinturée d'un bandier bleu orné d'anneaux et poitrine enserrée par un tassel noir mettant en valeur le décolleté de sa robe, s'approche en souriant de la religieuse qu'elle contemple :

— Aussi belle que Vénus !... Amoureuse devenue pauvre servante du Christ, vous mériterez le paradis.

— Je me contenterai du coin de ciel qu'on m'accordera... Et donc, c'est ici ? poursuit Héloïse en regardant autour d'elle.

— Ah, c'est ingrat et éloigné de tout mais correspond à ce que m'avait demandé votre mari, s'excuse le comte. Je ferai tracer une route pour y accéder.

Ondulations de la robe des sœurs, nonnes qui descendent à leur tour des basternes en découvrant le paysage qui change tellement de la pléthore d'Argenteuil. Dénuement du rudimentaire Petit Moustier vide gagné par le lierre, des orties.

— C'est le premier bâtiment construit par les scolares pour que, paraît-il, votre époux y dorme, explique Thibaut. Le temps y a entrepris son œuvre de dégradation. Une moisissure envahit ses murs lézardés et le plafond loupé serait à refaire. Vous devriez sans doute ordonner qu'il soit entièrement démoli.

— Je le garderai toute ma vie, décide Héloïse.

Auprès de l'oratoire, les misérables cellules en terre crue édifiées par les étudiants ne sont plus qu'en partie couvertes d'un chaume qui protège mal du vent et de la pluie. Le four à pain est cassé. Il n'y a plus de jardin.

— C'est un don profondément émouvant de la part d'un époux au secours de sa femme, considère la comtesse Mathilde.

— Qu'est-ce que cela prouve? lui demande Héloïse.

— Que le souvenir de vous tisse toujours sa vie.

— La donation entière du Paraclet est en ordre, assure Thibaut de Champagne. Atton, l'évêque de Troyes, l'a approuvée. Le pape Innocent II confirme ce privilège à perpétuité aussi pour celles qui vous succéderont en une propriété absolue et irrévocable offerte par l'abbé de Saint-Gildas-de-Rhuys.

— J'espère que je serai considérée comme une abbesse vigilante à la bonne gestion de ce couvent...

— Mais oui ! se veut rassurant le comte. Votre histoire personnelle et le cri de détresse de l'abbaye d'Argenteuil sont parvenus jusqu'aux gens des alentours qui désirent vous manifester leur attachement. Milo de Nogent vous offre trois champs et les coupes d'une forêt proche pour y prélever des troncs destinés à devenir les poutres nécessaires aux bâtiments – chapelle, réfectoire, dortoir... – qu'il vous faudra faire construire par les maçons, pioche et truelle au poing, que Gondry de Trainel mettra dès demain à votre disposition gracieuse le temps qu'il faudra.

— Vous voyez que vous n'êtes pas seule au monde, apprécie Mathilde en robe luxueuse de soie d'Orient, broderies et coton d'Arabie, à laquelle s'accrochent des chardons qui l'effilochent. C'est comme votre mari. D'après ce qu'on raconte, ne parvenant pas à faire de bien à ses moines, peut-être s'est-il dit qu'il pourrait en faire à des moniales.

Héloïse lui répond en latin « *Fas et Nefas ambulant pene passu pari* (Le Bien et le Mal marchent d'un pas à peu près égal) » alors que le comte reprend la parole :

— D'autres personnes sont disposées à vous secourir, abbesse d'un misérable couvent. Des menuisiers proposent de fabriquer sans frais vos bois de lit. Des commerçants veulent vous faire présent de matelas, de couvertures, poteries, souliers et chandelles. Galo et Adélaïde cèdent leurs vignes et le moulin de Crèvecœur.

Vêtue aussi d'un voile fluide qui se déchire aux épines des ronces et d'une voix apaisante, la comtesse imagine :

— Que vous avez dû vous comprendre, être heureux tous les deux...

— Les folles joies goûtées ensemble m'ont été si douces qu'à leur souvenir je n'éprouve que plaisance.

Tandis que des nonnes commencent déjà à décharger les basternes, portent à deux des coffres remplis de parchemins à l'intérieur du Petit Moustier en ruine, que des sœurs mènent les bœufs boire dans l'Ardusson, Thibaut de Champagne promet :

— Vous aurez le droit exclusif de pêche entre le village de Saint-Aubin et celui de Quincey. Vous pourrez prélever le péage du pont de Baudement.

— ... Mais hélas il y aura eu cette blessure inepte, déplore la comtesse dont la peau nue vient maintenant s'écorcher parmi de sauvages rosiers grimpants.

— La douleur me dévore encore en pensant à cette chose, Mathilde.

— Tous les ans, vous recevrez trois setiers de seigle pris sur les prés de Gohérel et dix deniers de cens provenant de la terre de Gautier, continue d'énumérer Thibaut. Des cultivateurs viendront aider à défricher, vous apprendre la manière d'ensemencer...

— Et votre enfant, abbesse ?

— Hein ?...

— C'est un garçon, je crois. Quel est son nom ?

— Comment ?...

— Un héritier fait aussi don à la communauté d'un terrain bâti pas très loin d'ici, s'enthousiasme le comte de Champagne.

— Pour ce petit, il n'y avait pas de place entre vous deux.

Les joues toutes griffées de Mathilde saignent :

— Comme vous devez le chérir, votre mari...

— D'une amour entière et impérissable.

— La veuve Marolles livrera chaque mois un muid d'avoine et vingt poules.

Passant de questions de l'une à phrases de l'autre, Héloïse s'y perd, prise dans un vertige.

— Afin de soulager la pénurie des premiers jours, vos voisins propriétaires fournissent pommes, châtaignes, vin, gibier. Des fermières ont plumé des canards et déshabillé leurs lapins.

— Puis-je encore vous poser une question ?

— Quoi ?

— La femme du chevalier Raoul octroie le produit des pêcheries de Pont-sur-Seine ! Vous aurez l'usage des bois de la forêt de Courgivaux !

Des bourgeons pointent aux branches.

— Pensez-vous encore tous les jours à lui ?

— Voulez-vous voir la rivière ?

Dans l'ampleur de sa robe de religieuse qui tournoie grâce au vent, la mère supérieure s'écrie :

— Oui !

49.

Abélard n'en peut plus... Depuis presque deux ans qu'il est là, il ne s'y fait pas. Dans la salle capitulaire de son abbaye, à travers le carreau bleu roi d'un vitrail donnant sur l'Atlantique par la pointe du Grand-Mont, il voit le bout de la terre qui lui interdit d'aller plus loin et perçoit le grondement horrible des eaux de l'Océan se mêlant aux vacarmes obscènes des frères indisciplinés vers lesquels il se retourne. Souffrant de troubles psychologiques graves et sombrant dans la dépression, à l'intérieur du monastère sans lois, ses moines lui paraissent de trop chauds lapins sortis tout guillerets de l'enfer.

— Vais-je devoir subir cela jusqu'aux trompettes du Jugement dernier ?

Pour la énième fois le père monastique s'élance vers eux en écartant les bras de manière christique :

— Mes enfants, mes enfants !... Cessez d'être bêtes féroces et lubriques. Trop me faites de déplaisir. Et vous, mon fils, où menez-vous cette belle garce ?

Le moine interpellé entraîne une paroissienne enthousiaste vers un confessionnal pour y faire des jeunes qu'il détruira plus tard à coups de maillet.

Du fond de ses calamités, l'abbé de Saint-Gildas-de-Rhuys crie « Seigneur ! » comme le prophète.

Un frère se soulage sur un portrait de la Vierge. D'autres organisent une punition de cocus à dos d'âne : « Si je t'attrape, je t'... » En ce lieu de perdition et de luxure, pris d'une marée de satanisme au centre d'un paysage ras avec rochers du rivage où s'explosent les vagues, l'un tient un chaudron, l'autre une louche pour taper dessus, et un autre une casserole en cuivre qu'il cogne contre le mur et tous font l'ivre. Et tous frappent tellement que jusqu'à Vannes on doit s'en étonner. Les hurlements de ces ecclésiastiques vergogneux qui ne se réveillent qu'aux aboiements de leurs chiens de chasse tranchent avec l'habituelle retenue d'un monastère. Sur les prie-Dieu, ils avalent des boudins boursouflés, tripes bouillantes, de la queue de marcassin, abats, gras double dégoulinant, de la fraise spongieuse de veau et de la cervelle. Ce sont là festins si beaux qu'ils font cliqueter contre les vitraux le bec avide des mouettes. Les tonneaux de poiré sont mis en perce. Pour leur abbé, tenter davantage de les ramener à la vie sobre – silence, pauvreté, chasteté – à laquelle ils s'étaient voués serait jouer son existence mais fort heureusement arrive le moment de la grand-messe de onze heures.

L'un sonne le rappel en agitant une cloche de vache, l'autre secoue les grelots pendus à ses génitoires. Ça siffle comme dans une taverne sous la voûte romane, claque des doigts, fait résonner des pets tonitruants tandis que l'abbé de Saint-Gildas s'approche de l'autel où ça cesse de jouer aux dés pour n'ingurgiter en guise d'hostie que cidre dans lequel ça veut le salut. Se riant des rites liturgiques, ça va jusqu'à incendier des pages d'une bible dans un encensoir.

Ceux qui disent la messe se révèlent incapables de parcourir leur livre de prières que d'ailleurs ils tiennent à l'envers. C'est à l'oreille qu'ils répètent mal ce qu'ils ont dû apprendre lorsqu'ils étaient enfants de chœur. Ils débitent en gueulant des citations latines auxquelles ils ne comprennent rien. Du *Credo* et du *Pater Noster* ils n'en connaissent que le bruit. Pour eux, c'est de l'arabe. Puis vient l'instant symbolique de boire le vin de messe, qui est en fait de la cervoise, dans un calice qu'un des frères tend à l'abbé :

— Glou-glou !

Catastrophe flairée, Abélard qui a vu qu'on avait jeté une substance dans la coupe sacrée veut forcer à la boire celui qui l'a servi :

— Pas moi mais vous, glou-glou !..., crie-t-il d'une voix de femme.

— Glou-glou ! insiste le frère.

— Non, vous, glou-glou !

Et s'emparant du vase il oblige cet ecclésiastique à en avaler le contenu qui devait recéler de la vénéneuse ciguë car l'autre tombe aussitôt en mourant sur les dalles.

Les moines autour sortent de sous leur soutane des couteaux à éventrer les requins, des lames de Tolède.

L'abbé va se faire poignarder par ses propres moines qui ne reculeront pas devant un assassinat les délivrant du plus grand esprit du siècle. Il est pour eux un censeur incommode, les jugeant encore pires que ceux qu'il a déjà chassés de son monastère. Tout enveloppé de ténèbres, il se dit qu'il va mourir et personne pour lui venir en aide... sauf (ça alors !) l'affreux moine portier qui s'interpose entre les agresseurs et leur victime désignée ! Montrant derrière lui Pierre Abélard puis se cognant violemment la poitrine redressée tel un gorille, il grogne : « Ablord ! Ablord !... » et frappe encore son thorax semblant signifier : « On n'y touche pas. Il est à moi ! »

Il est à moi... Il est à moi... Voyant le moine portier se retourner pour lui sourire trop enjôleusement de tous ses chicots pourris aux interstices envahis de poils blancs de cul de chèvre, l'abbé est moyennement rassuré mais le bossu s'avère convaincant. Il souffle l'air de ses joues tellement gonflées qu'il a l'air d'attiser un feu vers ses congénères cessant d'avancer alors que l'abbé protégé, par-dessus une épaule du difforme, se permet de frimer :

— Je n'en peux plus de vous tous, tas de dingues, et ne sais même pas comment j'ai pu vous supporter si longtemps ! Je vais de ce pas, hors de l'abbaye, aller chercher une monture pour, à Nantes, prévenir Conan III !

— Conan III ?...

Les moines ne parlent ni latin ni le français vulgaire mais connaissent le nom du duc de leur diocèse et refusent qu'on l'alerte. L'un, désignant au logicien les quatre sorties du monastère, répète « Conan III » en oscillant horizontalement la tête en signe de négation approuvée par les autres, lesquels semblent expliquer qu'il y aura dorénavant toujours l'un d'eux en faction derrière ces portes cloutées. Abélard comprend donc qu'il se retrouve séquestré par ses propres moines dans l'enceinte de pierre qui l'isole du monde, lui interdisant même de circuler parmi les jardins autour de l'édifice.

Au-delà d'écœuré et las d'avoir splendi sur tant d'ombres qui maintenant l'accablent d'un déluge de pommes cuites, il s'enfuit vers sa cellule en devant la vie à un cathare bulgare :

— Il faut que je raconte ça à quelqu'un !

Assis sur son lit en bois aligné contre un mur, il s'empare aussitôt d'une des nombreuses tablettes de cire empilées au sol après avoir été récupérées à l'intérieur du scriptorium, devenu backroom de bar gay, où il ne veut plus traîner ses fesses et qui le scandalise. Ah, Abélard est devenu bien prude et il est loin, le temps où il ordonnait à Héloïse : « Dis que t'aimes ça ! » et que lui-même, devant une carotte, se retournant, ne faisait pas le dégoûté. Stylet à la main, il commence à écorcher la cire :

Lettre de consolation à un ami

— ... dont je ne me souviens même plus quels ont été les ennuis.

C'est seulement aujourd'hui qu'il écrit sa réponse au second parchemin – celui venu de Cluny – reçu le jour de son arrivée.

Souvent les exemples sont plus efficaces que les paroles pour apaiser les chagrins humains. C'est pourquoi j'ai décidé de t'écrire cette lettre de réconfort. Elle te donnera en exemple mes propres expériences de malheurs afin que, par comparaison, tu reconnaisses que les tiennes ne sont rien ou vraiment peu de chose et que tu les estimes plus tolérables.

Sans doute parce que tout à l'heure il a cru mourir, c'est toute sa vie qui lui revient brutalement en mémoire :

Je suis né dans un bourg bâti à l'entrée de la Petite-Bretagne, à huit milles de Nantes vers l'est. Son nom précis est Le Pallet...

Malgré la mèche enflammée baignant dans l'huile d'une lampe près de lui, il plisse beaucoup les paupières car sa vue devient défaillante. Après avoir rapidement raconté en termes secs jeunesse et études, il s'imagine que ses difficultés à tracer correctement les lettres proviennent également de son stylet pas assez bien taillé. En frottant la pointe de l'os de poulet pour l'aiguiser, dans le salpêtre du mur auquel il est adossé, il grave comme un titre : *Historia Calamitatum* (Histoire de mes malheurs) puis en arrive à sa vie sur l'île de la Cité :

Et donc, à Paris, j'ai multiplié les cours à l'école Notre-Dame qui me procurèrent abondance financière et gloire ; ma renommée ne t'a pas permis de l'ignorer. Mais la prospérité enfle les sots. J'estimais être le seul philosophe au monde, et ne craignant plus aucun ennui dans l'avenir, je me suis mis alors à lâcher la bride à mes désirs, moi qui auparavant avais vécu plutôt continent. Soudain plongé dans la luxure, la grâce divine m'a fourni le remède à cette maladie en me privant bientôt de ce qui me permettait de la pratiquer.

J'avais toujours eu en abomination l'impudicité des prostituées. Mon assiduité aux études m'avait écarté de la présence et de la fréquentation des femmes de noblesse malgré leurs regards appuyés et je n'avais eu finalement que peu de relations avec des femmes communes. C'est alors que le destin, mauvais à mon égard comme on dit, me fit tomber sur une opportunité des plus agréables...

50.

Les travaux ont beaucoup progressé au Paraclet et malgré une lourde chaleur d'août ils se poursuivent en cette fin d'après-midi. Le dortoir aux multiples cellules individuelles n'est plus qu'à daller. Avant l'hiver, le réfectoire sera couvert d'un toit. Le petit scriptorium a déjà le sien et dans la chapelle où l'autel reste à bâtir on hisse des vitraux contre un mur évidé par endroits.

— Ils protégeront de la pluie car j'ai l'impression que ça va tomber. Voyez, abbesse, combien le ciel est déjà sombre au-dessus de Quincey, remarque le maître verrier.

— Oui..., souffle Héloïse en oscillant son flabellum noir pour s'éventer devant une ouverture encore nue d'où elle observe un peu plus loin des ouvriers scellant les dernières pierres du rempart d'enceinte de l'abbaye isolée.

Des cierges éteints, posés sur une table provisoire, coulent verticalement comme sous la flamme d'un grand feu invisible. D'autres se tordent. Ils débandent et la sœur portière en nage arrive, s'écriant :

— Regardez, ma mère, ça y est, j'ai ma grille de couvent! Le ferronnier venu l'installer, en saisissant les barreaux brûlants, s'en est attrapé des cloques aux doigts. Ça nous promet un bel orage qui ne va pas tarder! Il ne faudra pas toucher la haute clôture en fer de crainte de se retrouver en cendre, foudroyé par un éclair car ça va tonner, c'est certain. Tiens, voilà un cavalier qui s'approche au galop!

Celui-ci, filant entre des nonnes qui s'échinent à manier un araire, ne faisant qu'érafler la terre, et s'épongent souvent le front avec une manche de leur robe, arrive tel un homme fol et sauvage vêtu de feuilles qui stoppe sa monture devant le couvent en relatant :

— Rappelez vos agricultrices! Je sors du bois de Quincey où, bon Dieu, ce qu'il tombe! J'avais prévu d'aller dormir à Troyes mais vu le temps... Pouvez-vous m'héberger pour la nuit?

— Non, refuse la sœur portière de l'autre côté des barreaux neufs, puisque c'est un couvent de femmes et qu'à part les artisans y finissant les travaux aucun homme ne doit pénétrer à l'intérieur.

« Ah, c'est ennuyeux... », regrette le cavalier et tandis qu'Héloïse s'approche il poursuit « ... car transportant par cette chaleur jusqu'en Bourgogne un paquet de tablettes de cire en provenance d'un monastère breton, j'ai peur que fondent les mots écrits par l'abbé Ablord. »

— Abélard? demande l'abbesse du Paraclet.

— Le moine portier m'a dit Ablord.

— S'il l'a dit, c'est que c'est vrai, confirme la sœur portière, car lorsqu'on est placé au portail ou à la grille d'un prieuré, on se doit d'être précis dans ce qu'on raconte ! N'est-ce pas, ma mère ?

— Je peux voir l'emballage ficelé de ce codex ? demande Héloïse au cavalier qui le lui tend lorsque surviennent de premières grosses gouttes.

L'abbesse devient blanche comme un lys à la chair neigeuse en se concentrant sur l'image de la rouge cire à cacheter :

— Abélard !...

« Ah bon ? Alors autant pour moi mais ce doit être parce que mon collègue de là-bas ne parle pas bien français », justifie l'indiscrète sœur portière qui se penche à son tour pour observer l'empreinte du sceau représentant, réunies, deux têtes de profil se faisant face – celles d'une femme et d'un homme :

— Oh, elle, on dirait vous en jeunette, ma mère ! C'est vrai, le même front, nez et menton. Lui, je ne sais pas qui c'est mais il a une drôle de tête ! Pas du tout mon type. Avant de prononcer mes vœux, je les aimais plus rugueux.

La pluie s'intensifie et les sœurs laboureuses accourent pour s'abriter dans la chapelle alors que le messager s'impatiente :

— Vous n'auriez vraiment pas pour moi et mon cheval même un coin d'étable ?... car sinon je ne sais comment faire et puis voilà que ça gronde.

— Il y aurait bien la cabane où l'on range les outils si vous les poussez... imagine la sœur portière.

— Ah, mais ça m'irait très bien!

Héloïse demande :

— Puis-je lire ces tablettes?

— Puis-je rester pour la nuit?

Lettre de consolation à un ami

Souvent les exemples sont plus efficaces que les paroles pour apaiser les chagrins humains. C'est pourquoi...

Entre des fracas d'éclairs qui cognent le sol autour du Paraclet, à l'intérieur du petit scriptorium et sous la lumière vibrante d'une chandelle, Héloïse lit le long codex où Abélard raconte sa vie et ses malheurs. Elle glisse un peu les doigts sur l'écriture gravée au stylet dans la cire et ainsi a l'impression de sentir les mains de son amoureux lorsqu'elle en arrive aux premiers mots qui l'évoquent :

Il y avait à Paris une jeune fille nommée Héloïse, nièce d'un chanoine appelé Fulbert. Celui-ci la chérissait au plus haut point et mettait tout son zèle à la pousser le plus loin dans l'étude de toute science possible. Certes pas la dernière par la beauté, elle était la première par son savoir. La rareté de la connaissance littéraire chez les femmes mettait encore plus nettement en valeur cette jeune fille mais je vis principalement en elle ce qui séduit habituellement les amants.

Sur ce point, la naïveté de son oncle fut extraordinaire et j'éprouvais la même stupeur que s'il avait abandonné une tendre agnelle à un loup affamé.

En me la livrant non seulement pour que je l'instruise mais aussi afin, si nécessaire, de la châtier sévèrement, que faisait-il donc sinon donner toute liberté à ma lubricité ?

Qu'ajouter ? D'abord une même demeure nous réunit, Héloïse et moi, puis un même état d'esprit. Sous le prétexte d'étudier, nous nous sommes abandonnés totalement à la passion et les rendez-vous secrets que souhaite la amour, les leçons nous les offraient. Les livres ouverts, nous échangions plus de paroles sur le désir charnel que sur le texte. Il y avait plus de baisers que d'explications. Mes mains revenaient plus souvent à ses seins qu'aux ouvrages.

La amour m'amenait à lui donner parfois des coups : la amour, non l'exaspération; les gratitudes, non la colère! Et ces coups dépassaient en douceur tous les baumes. Notre désir ne nous fit délaisser aucune des étapes amoureuses et nous y ajoutâmes toutes les inventions les plus insolites. Plus nous nous adonnions à ces joies avec ardeur et moins elles risquaient de devenir fastidieuses...

À la fin de la lettre, de toute la bougie il ne reste plus rien sinon une petite flamme s'éteignant. Avec la clarté de l'aube, toujours dans le même scriptorium de l'abbaye, sur un parchemin elle écrit à la plume d'oie :

À mon époux ou plutôt mon frère,
son épouse ou plutôt sa sœur;
à Abélard, Héloïse.

Mon bien-aimé,

La lettre que tu as adressée à un ami pour le consoler, un hasard l'a fait venir jusqu'à moi. Je me suis mise aussitôt à la lire avec une passion égale à la tendresse dont je chéris son auteur. T'ayant perdu physiquement, je voulais du moins recréer par les mots comme une image de toi. Cette lettre, je la repasse en ma mémoire. Elle relate l'histoire malheureuse de notre changement de vie ainsi que, ô mon unique, les tourments nouveaux qui, depuis, te crucifient sans cesse sur des périls où tu flottes encore.

Toi qui, là-bas à Saint-Gildas, fruit d'une vigne étrangère où tu répands en vain les perles de ta parole devant des porcs, toi qui offres tes trésors même à des obstinés, pense aussi parfois à celle qui fut toujours prête à t'obéir. Examine la grandeur de l'obligation qui te lie à moi et alors, en t'acquittant de ta dette, ce que tu feras avec d'autant plus de zèle que je suis tienne d'une manière unique, tu rempliras ton devoir, ô toi si grand envers moi si petite...

Au matin, avant qu'il parte, elle donne sa lettre complète au cavalier qui l'apportera ensuite, retour de Bourgogne, au monastère de Saint-Gildas-de-Rhuys.

51.

Tandis qu'à travers un vitrail du lieu de culte celtique trop décoré d'obscénités, le soleil couchant accroche ses rayons au crucifix dans des reflets d'enfer, tous les frères qui séquestrent leur père monastique batifolent autour de l'édifice-prison, soutane relevée jusqu'au nombril, avec de riches paroissiennes de Vannes venues s'encanailler – connasses. Surmonté par la voûte de l'abbaye et debout sur la grille circulaire de la canalisation d'eau courante qui mène jusqu'à l'océan, Abélard a déjà lu le début de la lettre de son épouse en seule présence, dans le bâtiment, du moine portier, planté en face, lui souriant amoureusement de toutes ses dents velues. L'abbé excédé lui claque un : « Il n'y a pas une chèvre qui vous attend ? » puis poursuit sa lecture :

Moi que jamais tu n'as cherché à consoler par une lettre alors que depuis presque vingt ans je suis ballottée, épuisée, infiniment triste, sache que je t'aime toujours d'une amour sans limite. Tu sais, mon bien-aimé, ce que j'ai perdu en toi, que je chérissais tant, et dans quelle pitoyable circonstance mais aujourd'hui c'est ton silence qui fait ma douleur et donc toi seul pourrais m'apaiser. Tu es le seul qui me le doive et cette obligation est totale car, moi, j'ai accompli absolument tout ce que tu m'as commandé. Comme il m'était impossible de te résister en quoi que ce soit alors j'ai accepté de me perdre moi-même sur ton ordre. Oui, le plus étonnant, c'est que ma amour s'est tournée en une folie telle que dès ton commandement j'ai changé d'habit pour te prouver que tu étais devenu l'unique maître de mon corps comme de mon âme.

Jamais je n'ai cherché en toi autre chose que toi-même ; c'est toi que je désirais, non pas ce qui t'était lié. Je n'ai espéré ni alliance ni dot et ce n'est que notre plaisir à tous deux, tu le sais bien, que j'ai tâché de satisfaire de tout mon cœur, de mon c... Et même si le nom d'épouse pourrait paraître plus sacré et plus fort à d'aucunes, moi, le nom d'amie m'a toujours semblé plus doux comme celui, sans vouloir choquer, de salope. En m'humiliant toujours davantage pour toi, je pensais acquérir une plus grande reconnaissance de ta part et nuire le moins possible à la grandeur de ta gloire. Voilà ce qui m'a fait préférer la amour au mariage, la liberté au lien. Que ton Dieu m'en soit témoin, si Auguste, le maître de l'univers, m'avait jugée digne d'être son épouse et m'avait assuré la possession du monde entier, j'aurais trouvé plus précieux et plus digne de pouvoir être appelée ta putain plutôt que son impératrice.

Pour moi, t'aimer comme je t'aime relève du sacré et dépasse la philosophie, est du domaine de la sagesse de vie plus que du raisonnement. Et si l'admiration que je porte également au philosophe que tu es, tous les scolares d'Europe la portent avec moi, cela ne fait que prouver que ma amour est protégée de l'erreur, toi que j'ai vu, par eux, à ce point adulé. Car, quand je t'ai rencontré, quel roi, quel pape pouvait égaler ta renommée ? Quel pays, quelle province, quelle ville n'entrait en effervescence pour te voir ? Qui, je te le demande, à part quelques confrères jaloux, ne se précipitait pour t'admirer quand tu te montrais en public et ne cherchait à te suivre des yeux, cou tendu, quand tu t'éloignais ? Quelle femme mariée, quelle jeune fille ne rêvait de toi la nuit ? Quelle reine, quelle grande dame ne jalousait mes joies et mon lit ? Mais aujourd'hui quelle femme, naguère jalouse de moi, ne compatirait à mon malheur maintenant que je suis privée de tels plaisirs ? Quel homme, quelle femme, auparavant hostile, ne serait dorénavant attendri de pitié pour moi ? Moi qui ai commis beaucoup de péchés en ta compagnie, je suis bien innocente, tu le sais, car ce n'est pas dans l'acte que la culpabilité trouve sa place mais dans les intentions. Or de mes intentions à ton égard, tu es le seul qui peut en juger puisque tu es le seul à les avoir autant mises à l'épreuve. Je m'en remets donc à ton examen, je m'abandonne à ton témoignage.

Donne une seule raison, si tu le peux, qui justifie pourquoi, après notre entrée commune en religion dont toi seul a pris la décision, tu m'as tellement délaissée que je n'ai jamais eu ni ta présence lors d'une visite, de l'autre côté d'une grille comme c'est autorisé, ni ta parole ni même une lettre de toi pour me consoler de ton absence. Explique-le, si tu peux, ou alors je dirai ce que j'ai en tête, ce que chacun soupçonne : que tu t'es lié à moi plus par rapacité que par affection, par ardeur sensuelle plus que par amour. Et que donc, lorsque tes désirs s'écroulèrent par mutilation, toutes les attentions qu'ils suscitaient tombèrent également.

Considère, je t'en conjure, ce que je te réclame ; tu verras que c'est peu de chose et que tu peux très facilement y satisfaire. Puisque je suis frustrée de ta présence, qu'au moins ce que tu m'offrirais par les mots, dont tu es si riche, me rappelle la douceur de ta voix. Comment peux-tu te montrer si avare en paroles ? J'avais cru avoir acquis beaucoup de valeur à tes yeux car j'avais tout accompli pour toi et que je persévère encore aujourd'hui seulement pour t'obéir. J'ai entraîné ma tendre jeunesse dans la dureté de la vie monastique non par dévotion mais uniquement parce que tu me l'avais demandé. Si cela ne m'est d'aucun mérite, juge combien, depuis, je souffre en vain. Ce que j'ai accompli est une action pour laquelle je n'ai rien à attendre de Dieu puisque je n'ai rien fait pour lui. En prenant l'habit, c'est toi que j'ai suivi quand tu te précipitais dans la religion et t'ai même précédé.

Tu m'as voué à ton dieu avant de t'y vouer toi-même, as tenu à venir vérifier que je serais bien la première de nous deux qui prononce ses vœux définitifs sans doute par crainte que je me dérobe au dernier moment ; précaution qui, je l'avoue, m'a fait souffrir douloureusement comme d'un manque de confiance et m'a couverte de honte. Or, ton dieu le sait, je n'aurais pas, moi, hésité à te suivre, à te précéder si tu l'avais voulu, même dans le cratère en éruption d'un volcan car mon cœur n'était pas avec moi mais avec toi et, aujourd'hui plus que jamais, s'il n'est pas avec toi, il n'est nulle part. Il ne peut vraiment pas exister sans toi. Alors je t'en supplie, écris-moi. Rends grâce pour grâce, de petites choses pour des grandes, des paroles même s'il n'y aura plus jamais d'actes.

Du reproche moult fois ressassé d'Héloïse, Abélard s'en battrait bien les couilles mais étant donné son malheureux accident... Voyant le moine portier sortir enfin de l'édifice, pour sans doute rejoindre son portail, tout en lui lançant des baisers en cul-de-poule entremêlés de « Ablord, hin, hin, hin ! » venus des reins, l'abbé de Saint-Gildas-de-Rhuys, se retrouvant seul debout sur la grille de la bouche d'évacuation des eaux courantes, prend le temps de lire la fin de la lettre qui colle des frissons dans le dos :

Tu te montres si négligeant. Quand je jouissais d'excessives délectations charnelles avec toi, la plupart des gens doutaient de ma motivation : la amour ou la concupiscence ? Aujourd'hui, la suite de l'aventure prouve dans quel esprit je l'ai vécue. Je me suis ensuite interdit d'autres rencontres pour suivre ton choix. Je ne me suis rien gardé pour être toute à toi.

Évalue l'étendue de ton ingratitude et comme tu récompenses peu, voire pas du tout, celle qui a mérité le plus, d'autant que ce qui t'est demandé est minime et très facile pour toi. C'est pourquoi, je te le demande, rends-moi ta présence comme cela t'est possible, en m'écrivant à moi aussi pour me consoler ou au moins pour que, ainsi soutenue, je me consacre du mieux possible au service de ton dieu. Lorsque, autrefois, tu m'attirais aux voluptés dites honteuses, tu me submergeais des fréquentes élévations d'une tablette de cire hissée jusqu'à ma fenêtre et tes nombreuses chansons plaçaient le nom de ton Héloïse dans la bouche de chacun. Toutes les places publiques, les demeures particulières, résonnaient de mon nom.

Considère ce que tu dois, regarde ce que je te demande, et je conclus brièvement cette longue lettre par ces mots : adieu, mon unique.

52.

— Adieu, mon eunuque !

C'est ce que semble dire le moine portier alors qu'en fait il chuchote : « Snif, snif, Ablord... » tandis qu'il observe sans alerter aucun de ses frères, par une des portes de l'abbaye qu'il a entrebâillée, l'abbé de Saint-Gildas pesant de tout son poids sur le front du Christ d'un grand crucifix qui lui sert de levier pour soulever la lourde grille circulaire de la canalisation d'eau courante qu'il réussit enfin à pousser à côté de l'entrée :

— Merci Jésus !...

— Oh, Seigneur..., miaule Héloïse, couchée à plat ventre sur la paillasse de sa cellule du Paraclet avec, au bout d'un bras tendu sous le corps, une paume malaxant sa toison où la table n'est plus souvent mise. Elle glisse également l'autre bras et, de l'extrémité des doigts, entrouvre un passage intime. Héloïse se dit qu'elle ne devrait pas mais, bon, elle le fait.

Abélard se dit que c'est folie ce qu'il entreprend mais, bon, il y va dans le conduit humide où il commence à se glisser, tête première au crâne tonsuré arrondi comme un gland.

Héloïse sent que ça rentre. Dehors, dans l'Ardusson, la roue en bois du moulin projette une poussière d'eau que la lune irise. En un mouvement de va-et-vient du bassin, Héloïse sait faire des confidences aux murs :

— Abélard...

— Héloïse...

Lui, qui vient de lire la lettre de son épouse et plein de pensées pour elle, se gonfle de désir et de vaillance en poursuivant plus en avant sa pénétration du *conductus terrae* – passage souterrain.

Sous tes reins, Héloïse, une délicatesse palpe le galbe succinct d'un mont de Vénus en route pour des choses. Ta tête se creuse d'envies tandis qu'un doigt de ton autre main se glisse entièrement :

— Oh !...

— Ah !...

Tout toi, Abélard, est dorénavant dans le conduit étroit à l'intérieur duquel tu te mets en branle, remuant épaules et hanches pour progresser. Vas-y !...

Héloïse se sent s'envoler, cœur léger, semblable aux ballons par-dessus un paysage à puits, fontaine.

Abélard s'évade en bougeant comme un tyran gorgé de viandes qui se frotte à des mousses, des lichens.

Héloïse, belle en croupe, brûlante et suant des poisons, défriche un sol telle qu'à l'araire en un lieu que sa folie encombre. Dans l'air troublé, ses yeux se ferment.

Abélard rame l'air noir comme avec des ailes, stimule par force rasades oratoires sa vivacité – « Allez ! Allez !... » qui bat à coups larges d'adepte d'un culte satanique. Mutilé homme des villes et des écoles n'étant plus fait pour ça, à travers sa propre ruine, il va sans remords, ce vieux corps presque sans âme qui aurait besoin d'un chant berceur.

— Abélard... Abélard, hurtebille-moi, mets-la-moi... Aplanis-moi le chemin, viens me prendre par la main. Retrouve le temps où nous ne faisions qu'une seule chair...

Abélard paraît se délecter de son évasion, yeux riants comme chantants, mais s'ordonne de se tenir tranquille, de continuer sans s'énerver.

Elle est pleine de son homme.

Il se fait la belle.

La garce remue dans une débauche putassière. A-t-elle un problème avec le seigle – l'ergotisme ? A-t-elle le *mal des ardents ?* Souffre-t-elle du *feu de saint Antoine ?* Cette maladie fait des ravages dans les couvents en provoquant vertiges, délires, sensations de brûlures, fièvres très élevées, hallucinations.

— Par exemple, là, je crois que tu m'aimes à nouveau, Abélard. C'est te dire...

L'abbé commet des actes sauvages, front farouche, face effarée, gestes perdus. Malgré son style sentant le vieux, il fait encore illusion dans le décor où sa chair claque ainsi qu'un ancien drapeau.

La pauvre tête en feu de l'abbesse plus jeune trébuche dans des chaleurs d'incendie. Insuffisamment ruinée, elle en veut encore.

Abélard, sourcils méchants lui donnant un air étrange, a le courage d'aller plus loin. Dans une prouesse d'où son nom pourrait sortir galvaudé, il danse, se tord, et s'arrête, bouche bée, quand il aperçoit la lune au bout du tunnel.

Les lèvres de la mère supérieure du couvent du Paraclet s'entrouvrent d'un sourire qui dévoile le bout de ses dents lorsque le père supérieur du monastère de Saint-Gildas-de-Rhuys, se gonflant d'espoir, se remet en action. Héloïse, Abélard, attention, un grand bonheur va vous échoir...

Arithmétique des secousses, géométrie des endroits, astronomie indiquant la direction à prendre, musique haletante des poumons, les quatre arts du *quadrivium* de la théorie antique se synchronisent. « Te voilà mon époux », s'agite Héloïse tantôt pleine de cris, tantôt pleine de pleurs. « Si fait », répond son mari mêlant les larmes de ses tourments à l'écume d'un plaisir qui vient. Là et là, à cent soixante lieues l'un de l'autre, ça danse comme ensemble la carole au son des vielles. Tous les deux, on les dirait main dans la main avec leur sang qui bout. Abélard aperçoit soudain la mer et l'étoile du berger qui guide les matelots. Héloïse est une femme fontaine ensorcelée sous l'effet de feux mirobolants avec l'amas de sa crinière blonde agitée par le péché du mari – goupil aux remuements inconvenants frisant la monstruosité. Elle, fille folle, prostituée déformée en incroyables chapiteaux roses, il y aurait de quoi écrire là-dessus des vers au kilo. Lui, avec les yeux d'une tête de mort que la lune décharne maintenant, multiplie des diableries d'injures éructées de rage :

Saint Acaire que Dieu chia
Donne-moi suffisamment de pois cassés
Car je suis, tu le vois, un fou déclaré.

Celui qui se querelle chaque fois avec son monastère, voilà qu'il glisse pour de bon vers le bout du tuyau, quittant la pointe du Grand-Mont. Membres supérieurs le long du corps, il prend de la vitesse et quitte l'orifice en écartant ses bras en croix devant des milliards d'étoiles. Des extrémités de la Terre, il crie et Héloïse en Champagne se mêle à ce brame, s'esbaudit, éclate en vives splendeurs franches chantant *O quanta qualia* comme pour les vêpres. Elle redevient hallucinante de beauté – l'orage rajeunit les fleurs. L'application à son envie lui vaut cet honneur. Petite mort, un deuil brutal aboie en elle à plat ventre sur la paillasse, râles dans sa poitrine avec des sursauts des fesses alors que lui, ayant pivoté dans l'air, s'écrase à plat dos sur des rochers qui lui brisent des vertèbres. Soutane, là, fendue, l'avenir y montre sa plaie obscène mais il y a dans les hautes écumes des vagues une barque vermoulue qui danse – vaisseau désemparé dont Abélard devient tout l'équipage en hurlant de douleur :

— La barcasse va sombrer sous le poids de mes péchés !

Héloïse se tourne et se retourne dans son lit sous des draps qui forment des vagues mouvantes.

53.

Après un office de l'aube dans la chapelle neuve du Paraclet, la sœur portière vient murmurer à l'oreille d'Héloïse :

— Pardonnez-moi, ma mère, mais quand vous priez maintenant, je ne vous entends plus prononcer le nom du Seigneur. À la place, c'est un autre nom que parfois vous criez aussi la nuit dans votre cellule du dortoir.

— Ah bon ?

— Sinon, vous avez reçu du courrier de qui vous savez, venu de Nantes, où IL est hébergé le temps de sa convalescence par Conan III. Il paraît qu'IL se serait cassé des vertèbres en s'enfuyant de son monastère. Et il paraît qu'IL aurait également pu se retrouver le cul cassé d'après ce qu'a dit le moine portier de là-bas. Je vous laisse le parchemin.

54.

À Héloïse, sa sœur très chère dans le Christ,
Abélard, son frère dans le même Christ.

Que je ne t'aie jamais écrit pour te consoler, depuis notre conversion tous deux à Dieu, doit être attribué non à la négligence mais à ta sagesse en laquelle j'ai toujours eu une confiance totale. De consolation, je n'ai pas cru que tu en avais besoin, toi à qui la grâce divine a, j'imagine, donné avec abondance les qualités nécessaires pour remettre dans le droit chemin ceux qui sont dans l'erreur, pour exhorter les tièdes, par tes paroles et ton comportement que je suppose absolument exemplaire. J'avais pensé que tu en avais pris l'habitude depuis cette époque où te fut confiée la charge de prieure sous la direction de ton abbesse d'alors au couvent d'Argenteuil. J'avais cru que si, devenue à ton tour mère supérieure au Paraclet, tu offrais aujourd'hui, là-bas, à tes filles, la même attention qu'autrefois à tes sœurs près de Paris, je pouvais être convaincu que cela te suffisait et pouvais estimer complètement superflu toute consolation de ma part. Si en fait, dans ton humilité, tu en juges maintenant autrement et crois avoir besoin de ma direction et de mes écrits pour des questions religieuses, demande-moi ce que tu désires afin que je te réponde avec l'aide de Dieu.

Ma sœur, déjà très chère jadis et aujourd'hui très chère dans le Christ, je vais d'ailleurs t'envoyer, ou même t'apporter si mon dos démoli se répare et me le permet un jour, des textes, hymnes, prières, règles de vie monastique spécialement adaptés pour le Paraclet. Tu y trouveras aussi ce qu'il faut offrir à Dieu en sacrifice pour mes grands et nombreux écarts d'avant.

Sinon, n'oublie jamais que ta chasteté consacrée au Christ sera très agréable à Dieu et Le rendra d'autant plus favorable envers toi au moment du Jugement dernier. Reste donc toujours respectueuse et surtout très attentive lors de tes prières devant celui qui est maintenant tout particulièrement à toi : ton Seigneur Jésus-Christ. Je t'en conjure, écoute avec l'oreille du cœur ce que tu entendais avant avec l'oreille du corps.

Quant à moi qui fus tellement pécheur, s'il advenait que le Seigneur me livre à d'autres mains d'ennemis – que d'ailleurs je sens s'approcher à propos d'un livre (Sic et Non) *«commis» selon eux... –, que ceux-ci se révèlent plus forts que moi et me tuent, ou quelle que soit la circonstance qui me verra entrer loin de toi dans la route que doit prendre toute chair, je t'en supplie, où que se trouve mon cadavre, enseveli ou abandonné, fais-le transporter et inhumer dans ton couvent. Je pense qu'il n'y a pas de lieu plus sûr et plus salutaire pour mon âme douloureuse, que l'erreur de ses péchés désole, qu'une tombe au Paraclet – c'est-à-dire au Consolateur.*

En sus, j'estime que pour ma sépulture chrétienne il n'y aura pas d'endroit plus adéquat que près de celle qui fut mon épouse et qui maintenant est celle de Jésus.

Vis et porte-toi bien.

Garde dans le Christ mon souvenir.

Abélard

55.

À mon unique avant le Christ,
son unique après le Christ.

Dans ta lettre, mon unique, mon étonnement fut grand de te voir accroître la souffrance de celle à qui tu aurais dû apporter le réconfort de ta consolation et de provoquer ses larmes que tu aurais dû apaiser car comment aurais-je pu lire, les yeux secs, la fin de ta missive : « s'il advenait que le Seigneur me livre à d'autres mains d'ennemis [...] que ceux-ci se révèlent plus forts que moi et me tuent etc. » ? Oh, mon bien-aimé, quelle crainte énorme as-tu donc en tête pour avoir rédigé cette pensée ? Que jamais ton dieu n'oublie sa petite servante que je suis au point de me laisser te survivre ! Que jamais il ne me donne ainsi une vie encore plus lourde à porter ! Je veux que ce soit à toi de célébrer mes funérailles ! Tu demandes, mon unique, que, quelles que soient les circonstances où tu finiras ta vie loin de moi, je fasse apporter ton corps à mes côtés au Paraclet. Mais, si tu es enterré ici de mon vivant, quel moment me serait propice à la prière alors que mon extrême désarroi ne me permettra pas la quiétude nécessaire, que mon âme aura perdu la raison, ma langue l'usage de la parole ? Et mon esprit devenu fou sera irrité contre Dieu, si j'ose dire, et non apaisé par lui. Ayant déjà en toi perdu ma vie, vivre après ta mort, je ne le pourrai jamais. Puis-je ne pas exister jusque-là ! Déjà, évoquer ta mort est une mort pour moi. Que ton dieu ne permette jamais que je te survive pour remplir ce devoir que tu me demandes. Je veux te précéder dans la mort, non t'y suivre.

Car que me resterait-il à espérer si je te perds ? Quelle raison de poursuivre ce voyage sur terre où je n'ai aucun recours sauf toi et où tu m'aides par le seul fait d'être vivant ? Même si tous les autres plaisirs – tu sais lesquels – qui pourraient me venir de toi me sont définitivement interdits et qu'il ne me soit même plus accordé de jouir au moins de ta présence afin de pouvoir de temps en temps être rendue à moi-même. Tant pis s'il ne m'est pas permis de le dire, j'affirme que Dieu est cruel envers moi pour toute chose ! Que sa clémence est impitoyable ! Que sa volonté me porte malchance ! Il a épuisé contre moi toutes ses flèches au point qu'il n'en a plus pour sévir contre quiconque. Il a vidé contre moi son carquois et les autres n'ont plus à craindre son attaque ! Et s'il lui restait encore une dernière flèche, c'est en moi qu'il trouverait une place pour me blesser encore ! Au milieu de ces plaies qu'il m'inflige, ton dieu n'a qu'une crainte : que ma mort mette un terme à mes supplices car il ne cesse de me porter des coups mais me refuse la mort que pourtant il hâte.

Je suis la plus malheureuse des malheureuses, la plus infortunée des infortunées. Autant j'ai été élevée en toi au-dessus de toutes les femmes, ai obtenu le rang le plus sublime, autant, précipitée de ces hauteurs, je dois supporter une chute douloureuse. Plus haute est l'ascension, plus dure est la chute lorsqu'on s'écroule. Quelle femme parmi les impératrices et les reines le destin a-t-il jamais su placer au-dessus de moi ni même seulement à ma hauteur ? Mais, finalement, laquelle a été autant abaissée et accablée de douleur ? Quelle gloire le destin m'a-t-il donné en toi ! Quel désastre aussi ! Il s'est montré si excessif avec moi dans les deux sens que ni dans le bonheur ni dans le malheur il n'a gardé la mesure. Pour me rendre la plus malheureuse de toutes il a fait auparavant de moi la plus heureuse.

Ainsi je pense à ce que j'ai perdu et les plaintes dont je me consume sont à la mesure des dommages qui m'accablent. Je souffre des joies perdues et ma douleur est d'autant plus grande qu'elle a été précédée du plus grand bonheur des amours possédées. L'immense tristesse des pleurs met fin à l'immense joie des voluptés.

Et pour que de l'injustice surgisse une encore plus profonde indignation, tous les droits de l'équité furent également pervertis contre nous. Quand nous jouissions des joies d'une amour inquiète et, pour me servir d'un mot plus honteux mais plus expressif : que nous nous livrions à la fornication, la sévérité divine nous épargna. Mais lorsque nous avons remplacé nos comportements illicites par des actions louables et recouvert nos débauches par le voile de l'honneur conjugal, la colère du Seigneur abattit violemment sa main sur nous. Il n'accepta pas la couche immaculée alors qu'auparavant il avait longtemps supporté la souillure. L'attentat que tu as subi correspond au châtiment envers les maris qui trompent leur épouse. La peine envers les autres pour adultère, toi tu l'as connue pour t'être marié. Ce que les femmes adultères apportent à leurs complices, voilà ce que ta propre épouse t'a apporté. Et ce n'est pas arrivé quand nous nous abandonnions à nos précédentes turpitudes – et quelles! – mais bien lorsque, déjà séparés depuis un moment, nous vivions chastement, toi à la direction de ton école parisienne et moi, converse provisoire, partageant la vie des religieuses d'Argenteuil. C'est ainsi que, seul, tu as payé dans ton corps la faute commise à deux. Alors que nous avions été deux dans la faute, seul, tu fus dans la blessure au moment où tu méritais le moins une peine auprès de Dieu comme auprès de ces écorcheurs puisque tout autant que toi – Omnia tu mihi facis tibi... *Tout ce que tu me fais je te le fais, tout ce que je te... – j'ai commis les mêmes actions coupables qui ne me permettent aucunement d'être indemne de responsabilité.*

Avec toi, j'ai tellement été esclave des voluptés et des séductions de la chair. J'ai donc, peut-être, mérité ce dont je me plains maintenant. Les événements qui ont suivi sont le châtiment (justifié ?) des précédents péchés ; la fin malheureuse imputée aux débuts pécheurs. Mais s'il me faut reconnaître la faiblesse de mon pauvre cœur et de mon pauvre corps, je ne trouve pas en moi un repentir qui me vaudra d'apaiser Dieu. Et même je L'accuse d'extrême cruauté pour cette injustice. Je reste hostile à Son action et je L'offense délibérément par mon indignation plus que je ne L'apaise en Lui donnant satisfaction par mon repentir.

Comment pourrais-je en effet parler de pénitence pour mes péchés quand mon esprit garde encore la volonté de pécher et brûle toujours de mes anciens désirs ? Si je pouvais à nouveau laisser toute liberté à ma langue et ouvrir la bouche, ce ne serait pas pour me confesser.

Ces folies chères aux amants que nous avons goûtées ensemble me furent tellement douces que je ne parviens toujours pas à les détester ni à les chasser de ma mémoire. Où que je me retourne, elles s'imposent à mes yeux avec des envies qui les accompagnent. Même la nuit, sur ma paillasse, elles ne m'épargnent pas de leurs illusions.

En pleine solennité de la messe, lorsque la prière se doit d'être pure, les représentations obscènes de ces voluptés captivent totalement mon âme si bien que je m'abandonne davantage à ces effronteries qu'à la prière. Alors que je devrais gémir des fautes commises, je soupire plutôt après les plaisirs perdus. Non seulement les actes réalisés mais aussi les lieux et les moments où je les ai vécus avec toi sont à ce point fixés dans mon esprit que je refais tout avec toi dans les mêmes circonstances et même dans mon sommeil ils ne me laissent pas en paix. Souvent mes pensées peuvent être comprises aux mouvements de mes hanches. Des mots m'échappent malgré moi. Malheureuse que je suis! Qui me délivrera de ce corps? Mais les aiguillons de la chair, ces embrasements de la luxure, l'ardeur juvénile de mon âge et l'expérience des plus agréables voluptés les accroissent beaucoup. Leur assaut est d'autant plus fort qu'ils me trouvent plus faible. Ici, au couvent, elles me disent chaste, mes filles qui n'ont pas compris mon hypocrisie. On attribue à la vertu la pureté de la chair. Comme la vertu ne vient pas du corps mais de l'âme, je reçois les louanges des religieuses en ne méritant rien de Dieu, Lui qui éprouve tant mon cœur, mes reins, et voit ce qui est caché.

Or, dans toute ma vie, ton dieu le sait, c'est toi plus que Lui que je crains d'offenser, c'est à toi que je désire plaire.

Au début de ta lettre, tu me dis que si tu ne m'as jamais écrit, ce n'est pas par négligence mais parce que tu pensais que je n'en avais pas besoin. Ne me juge pas en bonne santé pour m'ôter le bienfait de médicaments! N'imagine pas ma force pour négliger de me soutenir, chancelante avant de tomber! Je t'en prie, aie plus peur de moi que confiance en moi pour que ta sollicitude me soit constamment une aide. Il faut que tu aies peur plus que jamais maintenant que mon incapacité à me dominer ne trouve plus de remède en toi.

Je ne veux pas que tu m'exhortes à la vertu en me poussant à la lutte. Je ne cherche pas la couronne de la victoire!

Héloïse

56.

Héloïse commence à en avoir ras la moule de son devenu cul béni de mari ! Alors, de ses commentaires, elle ricane parfois en lisant la nouvelle missive reçue qui, dès le début, l'engueule :

À l'épouse du Christ,
son serviteur.

Dans ta dernière lettre, tu ressasses ta vieille plainte contre Dieu à qui tu reproches sans cesse la façon dont s'est passée notre entrée en religion et ce que tu nommes Sa cruauté. Moi, je te réponds : « Heureux changement de lien conjugal quand, mariée d'abord à un homme misérable, tu te retrouves l'épouse du Christ ! »

Alors, cesse de te lamenter et rappelle-toi : après l'établissement de notre mariage, tu vivais dans le cloître d'Argenteuil, et un jour je suis venu te rendre visite. Tu te souviens de ce que l'intempérance de mon désir m'a poussé à faire avec toi – rappelle-toi, notamment, un moment diabolique ! – sur la longue table du réfectoire parce que nous n'avions pas d'autre lieu où aller. Tu sais que cela a été accompli avec la plus grande impudence dans ce local si saint, consacré à la Vierge souveraine. Raconterai-je aussi les débauches et souillures les plus honteuses qui ont précédé notre union conjugale ?

Tu sais également que lorsque tu fus enceinte et que je t'ai fait passer en Bretagne, je t'ai ordonné de revêtir un habit sacré de moniale soulevé souvent par-derrière pour mes turpitudes, me moquant ainsi irrévérencieusement, par un tel déguisement, de la vie religieuse que tu mènes aujourd'hui. Comprends donc que la justice divine – ou plutôt Sa grâce – t'ait entraînée malgré toi, mais à bon escient, vers cet état religieux dont tu avais accepté aussi de te jouer. La justice divine veut donc que tu expies maintenant en cet habit la faute commise sous ce même vêtement et que la vérité de la situation actuelle remédie au mensonge de la dissimulation passée, amende l'extraordinaire péché d'alors.

Examine donc, examine, ma bien-aimée, par quel filet maillé de miséricorde le Seigneur nous a repêchés des profondeurs de cette mer si dangereuse, ce gouffre, cette Charybde où nous avions fait naufrage. Dieu nous a pêchés malgré nous, alors vraiment l'un et l'autre pouvons le remercier en faisant jaillir ce cri : « Le Seigneur s'est soucié de nous ! »

— Il n'avait rien de mieux à faire?...

Pense et repense aux périls dans lesquels nous nous étions vautrés, aux débauches incroyables dont le Seigneur nous a délivrés. Examine l'extrême sagesse de Sa charité divine à notre égard et avec quelle douceur Il a mis à bas mon impiété, si bien que la plaie tellement méritée de cette seule partie de mon corps a guéri nos deux âmes à la fois. Compare le péril et la façon dont Il nous en a libérés. Compare la maladie et le traitement. Regarde nos actions et ce qu'elles méritaient. Admire les effets de Sa miséricorde. Tu sais à quelles abjections ma luxure d'alors a conduit nos corps au point qu'aucun respect de la décence ou de Dieu ne me retirait de ce bourbier et que quand, même si ce n'était pas très souvent, tu hésitais, tu tentais de me dissuader, je profitais de ta faiblesse et te contraignais à consentir par des coups. Car je t'étais lié par une appétence si ardente que je faisais passer bien avant Dieu les misérables voluptés si obscènes que j'aurais honte aujourd'hui de nommer.

— Pas moi.

La clémence divine semblait ne pouvoir m'aider qu'en m'interdisant ces débauches sans me laisser le moindre espoir. Voilà pourquoi j'ai été diminué de cette partie de mon corps, dominée par la luxure et seule cause de cette concupiscence, de la manière la plus juste et la plus clémente.

— Bon, ben si ça t'a plu, après tout, de te faire trancher les génitoires...

Ainsi fut puni le membre qui avait provoqué mes agissements et il expia dans la souffrance la faute commise dans les plaisirs. Je fus amputé tant dans mon esprit que dans mon corps des débauches où je m'étais plongé tout entier comme dans une fange. Je fus rendu d'autant plus digne de l'autel sacré que désormais plus aucune contagion des souillures charnelles ne peut m'en éloigner. La clémence divine voulut que je souffre uniquement dans ce membre dont l'ablation servirait au salut de mon âme sans atteindre le reste de mon corps au point de m'interdire tout ministère religieux. Et même, elle m'a rendu plus prompt à me consacrer aux activités honnêtes dans la mesure où elle m'a libéré du joug si lourd de la concupiscence. La grâce divine m'a purifié en me privant de ces choses si viles qu'on appelle « parties honteuses » à cause de la grande honte liée à leur fonction. La grâce divine, en agissant ainsi, qu'a-t-elle fait d'autre que de m'écarter de ce qui est sordide et bas pour que je découvre enfin l'éclat de la pureté ? Vraiment, le Seigneur s'est occupé de moi!

— C'est ça... Pauvre mari, c'est d'avoir été tellement échaudé par tes moines bretons qui t'a rendu ainsi ?

Viens toi aussi, mon inséparable compagne, et participe à mon action de grâce, toi qui auras eu part et à la faute et à la grâce. Car le Seigneur n'a pas oublié ton salut. Il s'est même particulièrement souvenu de toi.

— Eh bien, dis-donc...

Il a décidé dans sa clémence de nous sauver tous les deux en un seul alors que le diable, lui, c'est nous détruire les deux en un qu'il voulait. Pour preuve, peu avant cet accident, Dieu nous avait liés ensemble par la loi indissoluble du sacrement nuptial. Je t'aimais plus que de mesure et désirais t'attacher à moi éternellement ou plutôt Dieu avait calculé, par ce moyen, de nous attirer tous les deux à Lui. En effet, si tu n'avais pas été unie auparavant par le mariage, je sais que, moi retiré dans une abbaye, tu n'aurais pas tardé à replonger entre d'autres jambes de jongleurs à la recherche de nouvelles voluptés charnelles.

— La confiance règne...

Vois donc alors à quel point le Seigneur s'est bien occupé de nous comme s'il nous avait réservés à de grands desseins et qu'il se fût désolé de nous avoir confié de tel trésors de connaissance sans que nous les utilisions pour la gloire de Son nom.

Songe, dans ton couvent du Paraclet, combien tu Lui fais plaisir chaque jour, combien de filles spirituelles tu enfantes pour Lui alors que moi, je suis demeuré parfaitement stérile et inutile au milieu de mes fils de perdition à Saint-Gildas. Quel abominable dommage, quelle lamentable perte, si tu t'étais à nouveau préoccupée des souillures des plaisirs charnels et avais enfanté pour le monde, dans la douleur, quelques autres nourrissons, toi qui enfantes aujourd'hui, dans la joie, des religieuses pour le ciel! Tu ne serais rien d'autre qu'une femme commune, toi qui actuellement dépasses même les hommes et qui as retourné la malédiction d'Ève en la bénédiction de Marie! Qu'il aurait été indécent que tes mains consacrées qui tournent maintenant les pages des livres saints soient occupées aux vulgaires besognes féminines! Dieu a daigné nous hisser hors des ordures de cette boue pour nous attirer à Lui. Donc, ma sœur, je t'en prie, ne te révolte pas, ne sois courroucée contre ce père qui nous corrige paternellement. Écoute ce qui est écrit : « Dieu châtie ceux qu'il aime ; il châtie tout fils qu'il adopte. Qui use peu de la verge hait son enfant. »

Par ailleurs, ne t'émeut-il pas aux larmes, ne provoque-t-il pas tes regrets, ce fils unique de Dieu innocent qui, pour toi et pour tous les hommes, a été arrêté par les êtres les plus impies, déchiré, flagellé, tourné en dérision, tête recouverte, frappé de coups de poing, arrosé de crachats, couronné d'épines, et enfin suspendu au milieu de larrons sur l'ignominieux gibet de la croix, mis à mort de cette horrible et exécrable manière ? Ma sœur, aie toujours aux lèvres le nom de celui qui est devenu ton vrai époux et pense toujours à lui. Héloïse, maintenant c'est Jésus qui se serre contre moi comme une autre toi-même.

— Bon, mais toi, tu ne lui fais pas les mêmes choses qu'à moi quand même ?!...

Le Christ m'a baisé du baiser de sa bouche.

— Il t'a fait goûter des carottes aussi ?

Regarde-le marchant vers la crucifixion pour toi en portant sa propre croix. Sois du peuple des femmes qui se frappaient la poitrine et se lamentaient sur Lui. Toi, plus grande que le ciel, plus grande que le monde, c'est Lui qui t'aime en vérité, pas moi. La amour dont je t'enveloppais de péchés doit être appelée « concupiscence » et non « amour ». J'accomplissais en toi mes misérables voluptés et c'était là tout ce que j'aimais. Plains celui qui te rachète et non celui qui t'a corrompue, ton rédempteur et non ton débaucheur!

Je t'en prie, comprends cette remarque et rougis de nos honteuses turpitudes passées.

Héloïse ne rougit pas.

Accepte, ma sœur, accepte, je te le demande avec patience, ce qui nous arrive miséricordieusement. La miséricorde divine fut indulgente à ton infirmité tout naturellement et avec une certaine justice. Toi qui étais infirme par ton sexe, deviens plus forte par ta chasteté et donc tu mériteras une moindre peine et surtout tu auras la couronne.

Moi, en une fois, châtiant mon corps, Dieu m'a préservé de la chute, m'a refroidi des ardeurs de la concupiscence qui me prenaient tout entier. Je n'aurai donc aucune couronne parce que je n'ai pas eu besoin de lutter.

Je termine cette lettre par une prière nous concernant toi et moi : « Tu nous a unis, Seigneur, et séparés quand et comme il t'a plu. Aujourd'hui, Seigneur, ce que tu as commencé avec miséricorde, achève-le avec encore plus de miséricorde et, les deux que tu as séparés un temps sur terre, réunis-les à Toi éternellement au ciel. Amen. »

Porte-toi bien dans le Christ, épouse du Christ; dans le Christ porte-toi bien et vis par le Christ.

57.

— Je suis Abélard...

L'ancien abbé de Saint-Gildas-de-Rhuys, sac en cuir pendant sur une épaule, se trouve devant le Paraclet.

— Jésus ! Vous êtes ?...

Derrière la grille du couvent, cette fois-ci c'est la sœur portière qui tourne de l'œil, rattrapée *in extremis* sous les aisselles par Héloïse qui, entre les barreaux, découvre l'amour de sa vie :

— Mon Seigneur ressuscité !

C'est comme si une fée avait allumé dans le ciel une miraculeuse lumière. D'autres religieuses et des nonnes se précipitent pour débarrasser leur abbesse de la sœur portière évanouie qu'elles traînent, talons de sandales raclant la terre, pendant que l'Amoureuse tourne la clé dans la serrure de la grille qu'elle entrouvre :

— Abélard...

Tous les regards des sœurs restées présentes sont portés sur lui comme sur une divinité qui recevrait le cœur et l'encens des mortels. Il est amaigri (sauf du ventre). Son visage, au vaste front éventé et aux traits marqués d'ascète voûté, est parsemé de rides. Héloïse voudrait projeter ses mains pour ne plus lui laisser que des pans de vêtements mais elle se retient. Il passe devant elle et leur contact se limite à l'effleurement des corps.

Après avoir franchi la première grille, resté devant la seconde qui défend toute visite à l'intérieur de la plupart des bâtiments, le philosophe contemple le mur d'enceinte garni de poiriers en espalier, de treilles, devant des plants alignés de jeunes fèves, raves, choux cabus, marjolaine, sarriette, valériane, oignons...

— Le sol inculte que j'avais laissé est devenu un beau jardin.

— Oui et les champs qui rapportaient cinq muids de blé en rapportent maintenant seize. Je suis éperdument heureuse de te revoir, Pierre !

— Ces édifices sont bien bâtis. Là, c'est le scriptorium ?

— Tu as vu, juste à côté, ton Petit Moustier que j'ai conservé..., sourit l'abbesse observant, au médium du poing gauche d'Abélard retenant toujours son bagage sur l'épaule, la bague-sceau à cacheter en cuivre, gravée du profil de leurs têtes se faisant face, preuve qu'il est resté pénétré d'amour.

— Parce que je me rends à pied jusqu'à Sens où il faudra que je sois lundi prochain, je me suis dit que j'allais faire un détour par le Paraclet.

Héloïse, un bras le long du corps, frôle du bout des doigts ceux de la main droite d'Abélard qui se retourne alors aussitôt afin de regarder, à travers la grille, des paysans vêtus d'une cotte, braies et chausses, labourant autour de l'enceinte du couvent champenois. Ses phalanges dans le vide, la mère supérieure justifie :

— Je me suis permis d'exempter mes filles des rudes travaux des champs auxquels se soumettent ailleurs les moines car la règle de saint Benoît n'est pas adaptée pour des moniales.

— C'est sage. Il faut parfois choisir la raison au détriment de l'usage, savoir se conformer à ce qui semble bien, au détriment de la coutume.

— Abélard, ton doux regard dans mes yeux a suivi sa route jusqu'à mon cœur où je le conserve encore...

— Mais avec quoi labourent-ils, ces cultivateurs, là-bas ? Ce n'est pas un araire.

— L'apparition récente de la charrue fait merveille dans notre sol lourd. Son soc en métal – inventé par un de tes anciens élèves, paraît-il – entaille plus profondément la terre qu'elle retourne comme tu me retournais av...

— Ah, d'où les meilleures récoltes annoncées tout à l'heure ?

— L'arrivée du fer dans les bêches, serpes, etc., rend ces outils plus efficaces que tout en bois. Pour la moisson, j'ai préféré la faucille dentelée à la faux provoquant des pertes de grains considérables. Le meilleur moment pour les céréales, c'est le matin, quand les grains sont encore gorgés de la rosée qui les maintient sur la tige. J'aimais la rosée de ta tige,

Pierre, au réveil... poursuit l'incorrigible fleur des champs, en tenue de religieuse.

— J'ai apporté, tels que promis, des hymnes rédigés spécialement pour ce couvent et à psalmodier aux divers temps liturgiques, annonce l'abbé qui sort de son sac quelques parchemins roulés.

— En les chantant, ce sera comme si j'entendais ta voix. Regarde-moi. Enlace-moi. Embrasse-moi, ma amour !

— Ma sœur, je préférerais qu'on ne se tutoie plus.

— Partez, mes filles ! s'agace la mère supérieure humiliée en se retournant vers des nonnes qui assistent à la scène.

— Non, qu'elles restent ! Je veux qu'il y ait toujours des religieuses autour et entre nous deux et vous demande de vous tenir tranquille. J'ai aussi composé des *plancti* qui sont comme l'écho de votre vie, Héloïse.

Des sœurs rapportent, du moulin, des sacs de farine qui laissent des traînées poudreuses.

— Pardonnez-moi, mon... frère. Je fais ce que je peux, que ce soit également dans ma fonction pédagogique auprès des nonnes, l'organisation intérieure du couvent, l'administration des dépenses et des revenus, la gestion des dons...

— Soyez rassurée, ma sœur. Tout le monde dans la région admire votre piété et votre patience. Si vous avez besoin de quelque chose...

— Avec votre main, votre langue, votre voix, baisez-moi, abbé !

— Ah non, vous n'allez pas recommencer !

— Je sèche de douleur au-dedans de moi.

Le comportement d'Abélard se révèle si distant, tellement retenu. Tandis que l'abbesse vibre en transe devant lui, l'abbé paraît indifférent. Alors elle se sent perdue :

— Mais je vous comprends. L'autre jour, penchée sur l'Ardusson, quand j'ai vu à quel point avaient flétri mes appas, les ondulations de l'eau n'y étant pour rien, je me suis redressée d'épouvante. À quarante ans passés, je ne suis plus la jeune fille qui, un jour ensoleillé, a couru vers vous à l'école Notre-Dame.

— Que devrais-je dire, moi ? Un sexagénaire conserve habituellement une pilosité virile jusque dans ses vieux jours alors que mes joues sont devenues imberbes. Mon visage glorieux et mâle s'est métamorphosé en celui d'une vieille femme dont j'ai aussi à présent le timbre de voix qui prête à rire.

— Non, vous restez beau, ma amour. Je constate que depuis que vous êtes près de moi vous devenez encore plus beau. Arrivé vieilli, épuisé, là, vous vous redressez, vos rides s'effacent, vous rajeunissez, mon époux. Je vous prescris donc de rester longtemps, en déduit-elle sur le ton d'une plaisanterie triste.

— Je partirai tout à l'heure mais il faudrait d'abord que je mange un peu. Le jeûne accentue ce mal au crâne qui ne me quitte plus et même s'y développe, brouillant mes pensées et ma vue d'un voile particulier.

— Désirez-vous des carottes ?

Devant l'air effondré de son mari, l'ironie éclate aux lèvres de son épouse :

— Râpées !... Oh, qu'il est bête, celui-là ! À l'intérieur de votre Petit Moustier au toit restauré, je vais commander qu'on vous porte une porée mise à mijoter.

Assis sur un coffre de chêne parfumé d'œillets et de thym près de la cheminée vide élevée autrefois par des scolares fanatiques, Abélard plonge sa cuillère dans une écuelle où flottent des légumes grossièrement hachés cuits ensemble qu'il arrose d'un jus acide de groseilles à maquereau pas encore mûres. Comme un marron grillé sous la cendre, Héloïse le contemple :

— M'écrirez-vous encore, Abélard ?

— Je ne sais pas.

— Soyez sans crainte, moi, pour vous satisfaire, je mettrai la bride de votre injonction sur les phrases qui naissent de mon chagrin sans limite. J'interdirai à ma main de rédiger ce que ma langue ne peut s'empêcher d'exprimer. Je ne vous écrirai plus mes sentiments.

Terre cuite de l'écuelle sur les genoux, le philosophe comprime à deux paumes son crâne à côté d'Héloïse assise sur le même coffre et qui lui déclare :

— Je voudrais que l'on disperse mes membres en mer pour soulager votre souffrance. Qu'allez-vous faire à Sens ?

Le théologien porte le bord de l'écuelle à ses lèvres pour en boire doucement le bouillon :

— Il s'y tiendra un second concile où l'on a jugé nécessaire de me convoquer à propos de mon livre *Sic et Non*. Un débat public entre Bernard de Clairvaux et moi aura lieu.

— Ce terrible Père de l'Église ?! Mais ses dents sont des flèches et sa langue une épée tranchante, s'affole Héloïse. Déjà au concile de Soissons, il vous a...

— Certes, le petit aspic, depuis longtemps, clame fort ses reproches qui m'exaspèrent cependant ne vous inquiétez pas, ma sœur. D'ailleurs c'est moi qui ai réclamé que cela se passe sous forme d'une confrontation personnelle, face à face. C'est lui qui en ce moment doit craindre d'être à lundi. N'aura-t-il pas affaire au plus grand disputeur de son temps ? Sois, heu... soyez tranquille, ma très chère sœur, je vais savoir argumenter, quoi lui répondre d'autant plus que ce « tournoi » se produira en présence du roi qui, arrivant la veille, dimanche de l'octave de Pentecôte, se fera d'abord présenter les reliques de la cathédrale.

— Pensez à ne pas en contester l'authenticité. Oh, on peut rire quand même ! Avant on riait toujours. Prenez donc, pour votre dessert, de cette compote de poires aux amandes sur laquelle on a semé des pétales de rose confits dans du miel.

— Non merci. Il faut que j'aille, répond Abélard qui se lève en reprenant son bagage.

Pensées voletant comme des chauves-souris, Héloïse lui demande :

— Et après ce concile dans lequel vous serez brillantissime, mon unique, où irez-vous sans moi ?

— De livre incendié en livre inachevé, je ne me fixe jamais nulle part très longtemps.

— On se reverra quand ?

— Mon existence agitée ne me permettra pas de vous rendre souvent visite.

Paupières débordées de larmes qui deviennent les larmes d'amour du siècle, en présence de ses filles embarrassées qui regardent ailleurs, la mère supérieure agrippe la soutane brune de l'abbé :

— Rappelle-toi quand tu étais mon homme !

— Je ne suis plus un homme.

58.

— Prout !

— Qui a pété ?

— L'archevêque de Reims.

« Ah bon ? Alors laissez ouvert, Samson des Près, j'arrive ! » se marre Hugues III, l'évêque d'Auxerre, qui paraît complètement torché alors que le ministre religieux à la tête de la province ecclésiastique champenoise, titubant devant lui, se retourne pour expliquer :

— C'est à cause des oignons qui accompagnaient les gélines. Ça me donne des gaz. Pas à vous, Alvise, l'évêque d'Arras ? demande-t-il à son voisin coiffé d'une mitre disposée à l'envers dont les deux fanons lui balaient alors les joues et les yeux.

— Hips ! Moi, c'est de ce vin de Champagne que j'aurais dû me méfier. Sous ses airs naïfs, il est très rusé. Je ne vois plus rien. Dans quelle direction doit-on aller ?

— Par ici, blurp ! rote l'évêque de Meaux qui tente de guider, de la volute d'argent au bout de sa crosse tenue à l'horizontale telle une lance chancelante, son collègue du nord de la France. Attention de ne pas buter contre les bois de chantier. Il ne faudrait quand même pas que la tour sud de la cathédrale nous tombe sur la gueule. Et vous, ça va, Hélias ? Vous nous suivez ?

« Oui, oui, Manamès II, mais, hou, là, là, j'ai les cailles, les alouettes, et les rouges-gorges à la sauce dodine qui passent mal. J'ai dû en abuser après les pigeons et les canards », reconnaît l'évêque d'Orléans, soutenu par celui de Troyes (Atton), vert de visage et au bord de la gerbe, qui se demande :

— En cette chaleur de début juin, est-ce une bonne idée de s'être gavé aussi de pâtés, boudins et saucisses ?

— Oui et non, *Sic et Non !*

« Wouah ! Ah, ah, ah ! » s'esclaffent tous ensemble la quinzaine de prélats qui franchissent une petite porte latérale menant dans l'église métropolitaine Saint-Étienne de Sens où les attend l'évêque de Chartres aux airs furieux :

— Eh bien, vous en tenez une bonne ! Mais dépêchez-vous, le roi est déjà là, bande d'ivrognes goinfres.

— Rappelez-vous, Geoffroy, qui y étiez il y a vingt ans, déjà pour Abélard à Soissons, le président Conan d'Urach a dû abréger le concile tellement lui et nous avions faim. Alors, là, on a préféré prendre nos précautions. Si cet après-midi le moine philosophe, plus éloquent débateur du siècle, décide de justifier les cent cinquante-huit questions de son ouvrage, on n'est pas prêts de repasser à table pour le souper...

À l'intérieur de cette église romane que des travaux considérables métamorphosent en première cathédrale gothique au monde, les pontifes ivres se glissent entre les échafaudages pour s'installer sur des bancs le long desquels circulent d'autres bouteilles en douce. Plutôt qu'au Christ, c'est à Bacchus qu'ils font honneur. Le bon Geoffroy de Chartres s'en désole devant eux qui ne l'entendent même pas :

— Ainsi, ce sont des sourds qui vont juger des paroles de lumière ! Ainsi de vrais pots pleins de vin vont se prononcer et peut-être condamner un homme sobre...

Les goulus incriminés bourrés piquent du nez alors que Henry dit Le Sanglier, archevêque de Sens et président de ce nouveau concile, déclare la séance ouverte.

Bruits de l'entrechoquement des bijoux des seigneurs qui entourent Louis VII, chuintements des vêtements en soie et or des Pères de l'Église se mélangeant aux froissements fleurdelisés des habits de la noblesse. La mitre se mêle à la couronne, la crosse au sceptre, la croix à l'épée des soldats qui s'agenouillent dans le vacarme métallique de leurs armures lorsque, sur un côté, l'on voit Bernard entrer à l'intérieur de l'édifice tout en portant le livre qu'il va attaquer. Au centre de la cathédrale, ce lévrier fatal arrive couvert de la robe grossière de Clairvaux et précédé d'une renommée de sainteté exemplaire.

— Bernard est un démon travesti en ange, conteste Geoffroy de Chartres.

Puis les deux battants du porche de la cathédrale comble s'ouvrent et c'est Abélard qui y pénètre seul, contraint d'abandonner à l'extérieur la bande de bruyants scolares interdits d'entrée car n'ayant ni la grandeur épiscopale nécessaire ni celle de la pompe royale.

— C'est injuste ! gueule la jeunesse sur le parvis. Vous n'allez pas nous permettre d'assister au cours magistral d'un disputeur de la taille de notre idole alors que de son école sont sortis un pape, dix-huit cardinaux et plus de quarante évêques, archevêques de France, d'Italie, d'Angleterre ou d'Allemagne !

Un capitaine plein de plumes leur réplique : « Moïse a approché tout seul le nuage noir entourant la présence de Dieu et non pas suivi d'une nuée de scolares qui l'acclament pour flatter son ego ! », puis il ordonne à ses soldats de refermer le porche gothique de l'édifice religieux.

En ce lieu de culte devenu pour un jour tribunal ecclésiastique, les vêtements des dames gonflent. Noué dans le dos, le laçage de sortes de corsages étire le gipon de toutes celles qui découvrent pour la première fois le héros – accusé – exceptionnel entouré de tant de légendes salaces qui donnent chaud aux femmes. L'épouse du comte de Champagne s'évente avec un flabellum près de son homme à côté duquel chemine le philosophe sans le saluer :

— Tu as vu, Thibaut ? Il ne t'a pas reconnu.

— C'est parce que IL doit être tout à la concentration de ce que IL va dire, Mathilde.

IL avance le long de l'allée centrale. Le monde se tait car IL est comme Jésus-Christ, quoi ! Ils parlaient et ne se disent plus rien. IL passe devant l'abbé de Clairvaux, qui le menace en chuchotant « Je serai ta croix », avant que de se placer face à lui comme sur un ring alors que les prélats bourrés somnolent sur leurs bancs – c'est bien le moment ! Devant ces Pères de l'Église repus et saouls n'étant plus, aujourd'hui, que des boyaux ayant cru au dîner que leur vie n'avait pour sens que d'y faire couler du clairetz avalé à la pinte, le président du concile annonce d'un ton très solennel :

— En attendant de donner la parole à Bernard qui, en tant qu'accusateur, s'exprimera avant Abélard, que mon suffragant énonce d'abord les treize *capitulae* (chefs d'inculpations) face au jury qui devra chaque fois dire unanimement s'il les condamne.

L'adjoint désigné se lève et énumère l'un après l'autre les soupçons d'hérésie contenu dans *Sic et Non :*

— *Capitula* un ! L'ouvrage demande si le Saint-Esprit est vraiment de la même substance que bla, bla, bla...

Ceux qui ont trop rempli le tonneau de leur gosier et dont la chaleur du breuvage embrume le cerveau, sans même avoir écouté la fin de la question, répondent à l'unisson et en latin :

— *Damnamus* ! (Nous le condamnons !)

— *Capitula* deux ! L'ouvrage doute que Dieu ait ceci, cela...

— *Damnamus* ! répliquent à tout hasard les pontifes bourrés dont les yeux se ferment, noyés dans une somnolence léthargique qui les gagne.

— *Capitula* trois ! L'ouvrage...

Pendant le long déroulé monotone des *capitulae*, un évêque accoudé appuie son menton au creux d'une paume pour mieux cuver son vin tandis qu'un archevêque a le front qui bascule vers ses genoux près d'un autre, avachi sur un coussin, qui baisse ses paupières en bâillant un peu convaincant :

— *Damnamus*...

De fois en fois, les imbibés d'alcool ont de plus en plus de difficulté pour articuler entièrement leur sentence et assez vite ils ne parviennent plus qu'à chuchoter un vague « ... *namus* » qui signifie : « Nous nous noyons. »

Liste des treize reproches officiels enfin close et tandis que maintenant les prélats en écrasent drôlement, l'abbé de Clairvaux bombe son petit torse de hyène en soutane puis ouvre le débat, jetant des regards entendus alentour et au roi :

— Je condamne principalement la formulation dogmatique dépravée de ce philosophe parce qu'elle infecte trop de scolares et que sa contagion pénètre au fond de leur cervelle.

Bernard considère Abélard comme un problème de santé publique :

— C'est le dragon de l'Apocalypse !

Face à lui, l'ancien maître de l'école Notre-Dame a un peu mal au crâne mais son tyran minuscule d'un jour poursuit :

— Dans *Sic et Non*, il veut révéler les énoncés contradictoires de notre religion puis les soumettre à sa logique. Il questionne de façon systématique le catholicisme alors qu'il ne faut voir les sanctuaires miraculeux qu'à la lumière vacillante des cierges ! C'est un esprit à quatre pattes avec son groin dans l'auge.

L'abbé de Clairvaux dénonce chez son adversaire une décomposition morale :

— Il est de mèche avec le diable !

À cet instant, la mémoire de Pierre se brouille, sa raison s'obscurcit et son esprit le lâche. Il a l'air hébété quand le beaucoup plus petit que lui, Bernard, se met à le tutoyer en levant la tête :

— Tu t'es mis le cerveau en ébullition de la manière la plus folle et estimes inférieurs à toi même les saints. Tu es un théologien qui passe la mesure, qui vide le ciel de toutes vertus par l'habileté de tes paroles.

Face à l'accusé de grande taille, au centre de la cathédrale, le nabot abbé de Clairvaux assène ses coups hargneux sans relâche. Selon lui, rien en Pierre n'est défendable :

— Tu insultes les Pères de l'Église et en revanche, égoïste, couvres d'éloges ta propre philosophie ; son invention, sa nouveauté. Tu la préfères à la foi, à la doctrine des pontifes ! Tous devraient s'enfuir devant toi.

Seul, triste, souffrant, humilié, les yeux baissés, Abélard est comme assommé et l'autre continue à mordre. Ah, il mord bien quand il mord, cet aussi chien enragé dont les pupilles semblent de la boue ravivée alors qu'il conclut :

— Tout seul, tu t'en prends à la chrétienté occidentale, malade !

Un battement de sang fait comme un bruit de ciseaux au fond des oreilles de celui qui fut l'amant d'Héloïse. Vision trouble, tête lourde, rien n'égale sa lassitude à l'écoute de ce vil tas d'ignominies auquel il lui faut maintenant répondre.

— Que va-t-il dire ? se demande dans un murmure la comtesse Mathilde près de son époux qui fut le protecteur d'Abélard.

Que va-t-il dire ? paraissent aussi s'interroger le roi sur son trône, les seigneurs, les moines, les docteurs de l'Église, les prêtres, attendant en silence sous les hauts et neufs rinceaux gothiques.

Après avoir longuement, bouche ouverte et narines dilatées, humé les parfums royaux, observé les floues couleurs épiscopales, hésité, Abélard, sans prononcer un mot... part !

Ah, puisque son sort est bien complet, que l'espoir est aboli, la défaite certaine, et que l'effort le plus énorme serait vain et puisque c'en est fait même de sa haine envers les Pères et que presque tous sont de son supplice, que lui importe de laver sa réputation, il renonce au combat.

— Il refuse le débat qu'il a lui-même sollicité ? n'en revient pas Thibaut de Champagne.

— Il ne va pas bien..., diagnostique Mathilde.

Scandale dans la cathédrale. Le procès s'arrête au grand dépit de Louis VII et des lévites interloqués. Dans un cri tonitruant, l'abbé de Clairvaux dénonce même le silence du logicien :

— Puisque tu es un homme incomplet, tu laisseras ton œuvre incomplète, coq chaponné !

— Que, que s'est-il passé ? se réveillent en sursaut les membres du jury. On a dû s'assoupir. C'est déjà fini ? Le philosophe a encore une fois été absolument brillant ?

Seul Geoffroy de Chartres comprend Pierre en expliquant à ses collègues qui ont dessoûlé :

— Son procès est semblable à celui du Christ. Ah, l'incomparable force d'âme de Jésus refusant de répondre à Pilate...

Henry dit Le Sanglier, en tant que président du concile, s'emporte alors qu'Abélard foule les dalles menant au porche dont les battants à nouveau s'ouvrent :

— Pierre Abélard !... en votre absence, le synode vous condamnera comme *tanquam haeretico !* (hérétique !) et une lettre de moi relatant l'incident sera envoyée au pape qui vous imposera de ne plus rien dire ! Interdiction absolue d'enseigner ou d'écrire !... de parler religion à qui que ce soit sous peine de mort ! Abéla-a-a-ard !... vous êtes condamné au silence perpétuel ! Par décret sur parchemin adressé partout, nous mandons notre fraternité de vous fermer la porte de toutes les maisons religieuses !

— L'amant, pour lequel Héloïse a prononcé ses vœux définitifs, est rejeté par l'Église, constate Thibaut de Champagne.

— Malgré son âge et ses maux, il porte encore avec fierté une tête belle et détruite, reconnaît la comtesse Mathilde.

— Tu ne le trouves pas ressemblant maintenant à une aïeule ?

— Si, mais ça lui donne un charme étrange...

Abélard quitte la cathédrale et ceux qui lui usent la chair et l'esprit. Sur le parvis, sans rien dire, il fend la foule de scolares venus de Suède, Flandres, Salamanque... qui se taisent aussi peut-être par solidarité. Au-dessus de celui qui aura soulevé des tempêtes partout sur son passage, qui aura traversé les orages qu'il a lui-même allumés, le soleil de juin se voile d'un crêpe. Il quitte la ville vers des plaines en fleurs avec sa vie en flammes.

59.

— Messire... Messire !

Dans le noir parce que paupières closes, c'est une voix entendue, parmi des chants d'oiseaux, qui insiste et demande plus fort en lui secouant tendrement une épaule :

— *Homo sibi dissimilis est* (Homme qui ne se ressemble même plus), est-ce toi, Abélard ?...

Le philosophe à plat dos parmi la mousse d'une forêt ouvre les yeux et tout autour de lui ce sont alors de brusques envols d'ailes. Peu à peu, sa vision très défaillante s'ajuste vaguement en découvrant le visage flou d'un tonsuré accroupi près de lui qu'il finit par reconnaître :

— Pierre le Vénérable ?!

L'abbé de Cluny contemple son ami vautré et repoussant, proche du primitif dont il a le regard inquiétant. D'une paume, il lui caresse le crâne aux cheveux rares, sa figure livide. Il serre entre ses doigts une main décharnée :

— Mon Dieu, que te voilà maigre, Abélard.

— Le matériau qui compose mon corps étant devenu si léger, je dois ressembler à la feuille dont se jouent les vents... Comment m'as-tu retrouvé, le Vénérable ?

— Ce matin, au marché, j'ai entendu une ribaude de l'étuve du coin, dont la traîne est un vrai nid à puces, raconter qu'elle avait vu à l'aube, pas très loin, un homme nu mais sans organes génitaux qui se tenait sous une cascade, les bras en croix dans des tourbillons d'eau. J'ai bien sûr tout de suite pensé à toi et suis parti à ta recherche.

— Ah, comme on décrit mon corps... À Dijon et dans des cités le long de la vallée de l'Yonne, j'ai découvert sur des scènes en plein air, entourées de montages en charpente et en toile, des spectacles de farce où l'on se rit de moi. L'impuissance prête au ridicule, soupire le moine honni à la vigueur déclinante, fugitif sans foyer ni couilles... (ni bite ?), chevalier errant de roman retourné à l'état sauvage et qui de nouveau ferme ses paupières dans le noir mais l'abbé de Cluny le bouscule :

— Ouvre les yeux, Abélard. Ne te laisse pas aller ! Toi, quand il y a des années, depuis Saint-Gildas-de-Rhuys, tu m'as gravé dans la cire ton codex de consolation, c'était bien pour cela, pour que je ne me laisse pas aller, que j'ouvre les yeux ? Fais pareil ! Redresse-toi. Peux-tu te lever ? Pourquoi gis-tu parmi la mousse ? T'es-tu blessé ? Que s'est-il passé ?

— Ce qui s'est passé ? J'étais riche, j'étais adulé, j'étais sauvé, mais un jour, sur l'île de la Cité, j'ai rencontré cette fille et puis ensuite, ah, putain... Je ne voulais pas lui donner de cours particuliers ! Dompté par la plus belle des élèves, j'ai ensuite déchu aux yeux du monde, grimace le châtré en rouvrant enfin ses yeux. Le Vénérable, te plairait-il d'entendre un beau conte d'amour et de mort ? Il était une fois une fille fée...

« Je connais votre histoire. Elle fait de vous deux des héros et des saints. » admire l'abbé de Cluny alors que le philosophe délabré par l'expérience, usé par l'âge, découragé par la maladie, trouve quand même l'énergie de se lever et de chercher autour de lui son bagage afin de poursuivre sa route.

— Toi, passé en Bourgogne, où vas-tu donc, Abélard ?

— En Italie, au Saint-Siège pour plaider ma cause et trouver un abri auprès de Célestin II que j'ai connu sous le nom de Gui de Castello quant il fut un de mes scolares. Les renards ont leur terrier, les oiseaux leur nid, mais moi, à part la mousse d'une forêt, je n'ai plus nulle part où reposer ma tête douloureuse...

— Aller faire appel du procès de Sens à Rome ? Mais tu t'y feras massacrer avant d'entrer en ville ou incendier sur un bûcher. Le pape a ordonné d'allumer des feux de joie pour qu'on jette tous les exemplaires de tes ouvrages aux flammes. Viens plutôt dans mon abbaye.

— Tu n'as pas le droit, le Vénérable. Le président du concile et Bernard de Clairvaux ont dit...

— Peu me chaut leur avis et notamment celui de Bernard qui s'insurge même contre la dizaine de façons qu'on a de cuisiner les œufs à Cluny, rétorque l'abbé persuasif quand il parle. En mon église abbatiale, plus vaste que Saint-Pierre de Rome, nul ne pourra plus te nuire, ni archevêque, roi ou pape, sans mon autorisation. Je suis devenu l'abbé le plus puissant de la chrétienté. Allez, viens, laisse-moi te soutenir. Une charrette conduite par un moine nous attend au bout de la forêt. Daigne passer le reste de ton existence, dont les jours ne sont sans doute plus si nombreux, en ayant un lit avec matelas, drap, courtepointe, et entouré de nos soins. On t'y servira des gobelets de thériaque dont les fleurs d'aristoloche ronde, baies de laurier, myrrhe, gentiane font du bien. Je ne voudrais pas qu'une gloire du royaume telle que toi mendie son pain grossier sur quelque sentier de neige et s'éteigne en traversant les Alpes. Viens. La Divine Providence t'a mené près de moi. Restes-y. Ne va pas plus loin.

Se laissant traîner parmi le bruissement sec des feuilles, Abélard ferme ses paupières. Dans le noir donc, il se fait pratiquement porter par celui qui lui offre son monastère et son cœur. Il est attendri par cet accueil dont les persécutions de tant de pontifes l'avaient déshabitué puis se sent bientôt soulevé par les deux autres bras très puissants de quelqu'un dont il entend la voix et l'accent :

— Ablord ?! Ablord couic-couic !...

Il ouvre les yeux :

— Oh ! Que fait-il là, lui ?! n'en revient pas le théologien.

— Ah, c'est vrai, tu l'as connu bien sûr lorsqu'il était ton moine portier en Bretagne... C'est évidemment un ecclésiastique un peu spécial mais quand Conan III a fermé Saint-Gildas, les moines dévoyés furent répartis dans divers monastères du royaume et nous avons récupéré celui-ci qui est gentil en fait..., reconnaît l'abbé clunisien en grimpant sur le plateau arrière du lourd charroi près du logicien en mauvaise santé qu'il enlace avec compassion contre lui pour le protéger des secousses des ornières alors qu'à l'avant du véhicule, le bossu difforme pivote son énorme tête vers ses passagers dont il cherche à savoir le niveau d'intimité en oscillant des reins :

— Hin, hin, hin ?...

— Le principal souci qu'on ait avec lui est un problème de langue, regrette Pierre le Vénérable. Je ne comprends jamais ce qu'il dit. Par exemple, lorsqu'il t'a découvert, il s'est écrié « Ablord ! » et va savoir ce que ça signifie pour lui. Et puis là, son frénétique « Hin, hin, hin » celtique en remuant des hanches comme la ribaude pleine de puces devant l'étuve du marché, par quoi traduire cela ? s'interroge l'abbé tandis que le cathare bulgare fait claquer son fouet devant le philosophe abasourdi.

— Comment peux-tu héberger un tel individu ?

— Nous avons bien, un matin, ouvert nos portes à deux frères poursuivis par des soldats parce qu'ils avaient tué leur père... Et là, ne vais-je pas donner asile au plus dangereux hérétique du monde que tu es ? Alors... Quand il est arrivé, découvrant sa frénésie devant les bovidés, on l'avait d'abord placé à la bergerie pour la fabrique de nos fromages de chèvre mais on a dû le changer de service.

— Ah bon ? Pourquoi ?... trouve la force de sourire Abélard.

« Repose-toi », conseille le Vénérable à son protégé qui ferme les paupières, se retrouve dans le noir, ne profitant pas de la beauté du paysage qui défile lentement le long de lacs, d'étangs, de marécages bordés de roseaux, entre les monts du Morvan jusqu'à un lieu écarté si plein de repos et de paix qu'il semble une image de la solitude céleste.

Abélard ouvre les yeux, dernier au bout d'une colonne de moines et vêtu des souliers à courroies de cuir, chapeau et gants selon la règle de Cluny. Derrière ses frères qui ne passent pas pour être de joyeux lurons, il égrène son rosaire, se fait oublier. Brisé de tristesse et par sa maladie cérébrale, il promène la flamme d'un cierge comme les autres, ne veut plus créer d'ennuis à personne mais n'en médite pas moins sa ruine sous le regard de l'abbé de Cluny, personnifiant la charité du religieux par sa mansuétude :

— Il est étonnant de voir un si grand nom se dédaigner lui-même à ce point et paraître se complaire dans l'abaissement.

Alternativement tendre ou rêveur selon qu'il écarte ou ferme ses paupières, silencieux, front baissé, Abélard fuit les regards, se cache dans les processions obscures des clunisiens et, par son allure, semble vouloir s'effacer davantage parmi les plus inconnus. Le néant est devenu bon pour cet être fragile qui tel une tour à feu (phare à éclipses) veut encore parfois voir le jour, yeux grands ouverts, puis réclame la nuit alors ferme ses paupières et la nuit descend, la voici.

Souvent, au bout d'une l'allée du grand parc, on le voit assis, toujours sous le même arbre que les moines appellent le «tilleul d'Abélard». Dans l'ombre du feuillage, fesses posées sur un banc de pierre grise face à une longue table du même caillou, il repose sa tête repassant en mémoire ses malheurs, son amour...

Le reste du temps, il lit, prie et se tait. Là, devant les vastes prairies blanchies de troupeaux dorlotés par un paysage doux, il ouvre ses yeux en direction du Paraclet pour faire rimer *Je t'aime* et *Mille regrets*. Bruit d'une soutane et cliquettement d'un chapelet, Pierre le Vénérable vient le visiter. Repérant la direction obstinée de son regard, il lui dit :

— Héloïse te manque, n'est-ce pas ?

— Je lui avais écrit que je voudrais être enterré près d'elle. Parfois on dit de ces choses, on rêve...

Ce philosophe tellement controversé que la fièvre et les douleurs cérébrales consument, alors que ses forces déclinent rapidement, se sent comme un animal qui espère l'abattoir :

— Tout miroir me renvoie un air de dément.

En son lent clignotement de tour à feu dirigé vers l'infini, il baisse les paupières, rouvre les yeux, va les fermer.

60.

— Psst ! Psst... Chut !...

De nuit, non loin des brumes fantomatiques flottant au-dessus de la Saône à Chalon, devant le petit cimetière du prieuré Saint-Marcel où gisent des frères dont on lit le nom sur des dalles, Pierre le Vénérable hèle l'ancien moine portier de Saint-Gildas en essayant de faire le moins de bruit possible.

« Psst ! Psst ! » l'appelle-t-il aussi en lui faisant signe de la main mais le gros Breton rechigne à venir car, à l'intérieur d'une étable en bois située à côté, il perçoit le frêle martèlement des sabots légers d'une chevrette qui s'ébat et broute derrière les planches. Plutôt que la porte du cimetière, c'est bien celle de l'étable que le cathare bulgare aimerait franchir mais l'abbé de Cluny excédé insiste :

— Psst ! Psst !

Alors c'est à regret, et quoique les yeux illuminés ainsi qu'une boutique pour l'affection envisagée toute simple et si douce de sa vaste gueule blottie en ventouse contre un nid de poils blancs, que le gros Celte bossu se dirige docilement vers son abbé, espaces entre les dents restés imberbes, hélas pour lui...

Dans un chuchotement, Pierre le Vénérable regrette en attirant le moine robuste par une manche parmi les tombes : « J'avais pourtant pensé qu'en conduisant Abélard dans ce prieuré qui nous appartient et où l'air est réputé plus salubre que sur les collines de Cluny il irait mieux et puis en fait, sitôt arrivé, il emporta avec lui sa lampe à huile dans sa soixante-troisième année... Ah, mais pourquoi je vous raconte ça puisque vous ne me comprenez pas ? » se reprend-il face à l'autre qui effectivement n'entend goutte à la chose ni à ce qui se prépare jusqu'à ce que son abbé, devant un tas de terre dominé par une croix en bois, lui tende une pelle :

— Creusez ! mime le Vénérable en singeant le mouvement.

Ah, si les ensevelis tout autour percevaient les sons de la marne ôtée, leurs os en sueraient de panique. À l'insu des religieux qui dorment derrière les fenêtres du dortoir éteint, tout en récitant son chapelet avec la voix d'un triste fantôme frileux pourtant couvert d'un épais manteau fourré de loutre, l'abbé de Cluny que l'amitié conduit à cette folie assiste à l'exhumation du cadavre d'Abélard sous la clarté blafarde de la lune.

Très efficace et déjà tel que descendu aux profondeurs de l'enfer, le moine breton à puissance de pelleteuse accole étroitement les restes funéraires du philosophe qu'il remonte à la surface entre ses mains calamiteuses. Sitôt lui aussi sorti du trou, il désenveloppe le théologien du drap souillé de glaise qui l'entourait puis, sur un signe de l'abbé, le porte avec délicatesse jusqu'à même le plateau arrière de la charrette à bord de laquelle ils sont venus tous deux commettre ce pieux larcin d'une légalité douteuse.

La dépouille du logicien décédé étant à plat dos, et comme déjà à Saint-Gildas-de-Rhuys ça le turlupinait, c'est fort logiquement que le Celte à larges oreilles, gueule horrible, soulève haut la soutane du macchabée pour scruter son entrejambe près de l'abbé de Cluny outré :

— Non, mais ça va pas, non ?! Retournez-le sur le ventre, obsédé, indique Pierre le Vénérable.

« Bon, très bien... », semble penser le zoophile breton en renversant celui qui fut, près des tumultes de l'océan, son père ecclésiastique dont il soulève à nouveau la soutane pour vérifier qu'entre ses fesses il avait au moins un trou du cul.

— Oh ! Mais ce n'est pas possible, ça ! s'insurge le pourtant profanateur de tombe en tapotant la seconde place de la banquette à l'avant du véhicule. Allez, on y va, hue. Tout droit vers le nord, un peu à l'ouest ! signale-t-il d'un bras.

Parmi les cahots de la route, enfin vainqueur et hors des foules, Abélard s'en va au vent fou qui l'envole. Il est bringuebalé ainsi qu'en triomphe, entre le pétillement des silex contre le fer des roues. Et quand vient enfin le jour de cette mi-novembre 1143, le délit ne fait pas chanceler le soleil qui rit avec l'éclat des pierres.

61.

— Bonjour, ma fille. Je suis Pierre le Vénérable et nous venons livrer au Paraclet le corps d'Abélard.

Alors que sur la même banquette que l'abbé de Cluny, l'ancien moine portier de Saint-Gildas-de-Rhuys contemple autour du couvent les collines enneigées et l'eau de l'Ardusson figée par le gel, derrière la grille d'où pendent des stalactites de glace qui y ajoutent des barreaux, la sœur portière stupéfaite, dans la buée en suspens de son souffle coupé, tente d'appeler sa mère supérieure :

— Mè-è-ère ! Mêêê ! Mêêê !...

Le cathare bulgare pivote alors brusquement sa gueule monstrueuse attirée par celle qui bêle tandis qu'Héloïse accourt en découvrant sur le plateau de la charrette la dépouille de son amant telle la statue d'un gisant piqueté de paillettes blanches qui accentuent son aspect minéral.

Sitôt l'enceinte du couvent franchie, l'abbé de Cluny, recouvert de loutre, descend du véhicule en déclarant à l'abbesse qui s'est oubliée dans l'amour :

— Voici l'homme qui vous appartient. Vous n'aurez plus à vous demander où il est. Je vous ai également apporté deux documents. Ce premier est un certificat empreint de mon sceau au cas où des Pères de l'Église tatillons vous reprocheraient d'héberger, d'autant plus en un couvent de femmes, la dépouille d'un soi-disant hérétique qui se fit interdire d'entrée dans les lieux saints. Selon l'usage, vous pourrez accrocher ce parchemin sur son tombeau.

En silence et larmes givrant au bout de ses cils, la folle amoureuse lit :

Moi, Pierre le Vénérable, qui ai recueilli Abélard dans l'abbaye de Cluny puis cédé son corps, furtivement emporté, à Héloïse, abbesse du Paraclet ; par l'autorité du Dieu tout-puissant et des saints, j'absous d'office ce philosophe de tous ses péchés.

— Et ce second document, poursuit l'ami du logicien, est une épitaphe que j'ai écrite et vous autorise de faire graver.

Platon de notre âge égal ou supérieur à tout ce qui vécut, souverain de la pensée reconnu partout à travers le monde en tant que génie varié et universel, il dépassait l'humanité par la force de l'idée et de l'éloquence. Son nom fut Abélard !

Héloïse ne trouvant plus ses mots (quelle étourdie !), c'est la sœur portière qui prend les choses en main :

— Bon, sur sa charrette, cet amant raide comme la justice je suppose qu'on ne va pas l'y laisser jusqu'au dégel ! J'imagine aussi que sa prochaine demeure sera le caveau vide qui fut creusé dans le sol du Petit Moustier lors des travaux de réfection du toit qui s'écroulait. N'est-ce pas, ma mère ? Pas de réponse ? Qui ne dit mot consent ! Peut-on m'aider à le transporter, par exemple, vous, le gros bossu ? Jamais vu une gueule pareille, même en gargouille. Pour la tête, vous êtes bien servi. Nature a, je crois, mis toute son attention pour vous la façonner. J'ai l'air de critiquer mêêê... mais en fait, avant de prononcer mes vœux, les gars qui m'attiraient étaient plutôt des rugueux dans votre genre, poursuit la volubile sautillante en saisissant les chevilles du théologien qui, étant de grande taille, dépasse du plateau du tombereau. Allez, hop, on enlève ! ordonne-t-elle à la façon d'une cuisinière de taverne. Eh bien, vous ne venez pas le prendre par les épaules, mon frère ? Pourquoi ne répond-il rien ? demande-t-elle à l'abbé de Cluny. Il ne se sert pas de sa langue ?

— Il ne comprend que le breton.

— Ce n'est pas une raison, rétorque celle qui n'a jamais tort en mimant à l'ancien moine portier ce qu'elle attend de lui. On l'attrape, vous là et moi ici et, hin, hin, hin !... on y va !

— Hin, hin, hin ?!..., s'allument soudain les yeux écarquillés du Celte qui s'empare, sous un seul bras, de tout Abélard rigide telle une poutre.

— Mais ! Mêêê !..., n'en revient pas la sœur portière qui, tout excitée, en frétille sur place. Que vous êtes fort ! Venez, lui fait-elle signe d'un basculement de la main, et prenez-en soin autant que s'il était une grande bible à enluminures enveloppée de soie qu'on apporte, les jours de fêtes carillonnées, en procession jusqu'à l'autel. N'allez pas le casser en deux contre l'angle d'un mur après tout ce que son corps a déjà subi... Suivez-moi !

Quantité de sœurs et de nonnes accourues remarquent que c'est surtout le petit cul remuant sous la robe de la préposée aux clés que le cathare bulgare suit en se pourléchant les lèvres avec gourmandise.

Par ce glacial décembre, devant les yeux embués de larmes d'une Héloïse continûment sans voix, la dépouille scintillante du philosophe voyage à l'horizontale, membres supérieurs immobilisés de chaque côté des longs plis de sa soutane demeurant tendue.

En sabots remplis de paille, d'un pied, d'un seul (d'un seul !) et toujours le logicien porté tel un fagot, le Breton déplace la dalle qui couvrait le trou du profond caveau, la fait grincer sur les tomettes du Petit Moustier. Quelle puissance ! La sœur portière s'en trouve ahurie :

— Ce n'est pas humain. Je peux tâter vos muscles ? Oh !...

Le bossu bascule le cadavre, nuque la première dans le trou, puis le pousse par les talons. L'arrière du crâne racle donc la terre au fond du caveau avant que les jambes y soient à leur tour abandonnées. En tombant, elles rebondissent et s'immobilisent vite couvertes par une ombre qui s'allonge parce que la dalle, à nouveau bougée, referme la sépulture.

— Bon, ça, c'est fait, apprécie la sœur portière. Certes sans excès de délicatesse mais c'est fait, commente-t-elle alors qu'une vaste pogne celte lui enserre le cou en étirant son voile et le laçage de sa guimpe.

Surprise, elle se trouve ainsi entraînée hors du Petit Moustier avant qu'Héloïse et l'abbé de Cluny, yeux baissés, y pénètrent pour une courte prière mortuaire que Pierre le Vénérable articulera aux côtés de la veuve abasourdie, entourée par presque toutes ses filles du Paraclet.

Trop entassées dans l'édifice exigu, quelques nonnes collées contre un mur reluquent, à travers les carreaux colorés des vitraux, ce qui se passe dehors. Elles voient glisser sur la façade de la cabane à outils la large ombre du Breton rustique conduisant celle, gesticulante et en l'air, de la sœur portière à robe soulevée en bas du dos tandis qu'elle bêle : « Mais ! Mêêê ! Mêêê !... » (ce qui est maladroit de sa part. On ne chante pas ça, ni cot-codec, ni meuh, hi-han, ou ouah-ouah à un individu qui a 30 millions d'amis !)

Prends garde à ta maison quand le mur du voisin brûle ! Ventre basculé à plat sur une machine agricole et bas de la robe aux épaules, la sœur portière subit le déferlement de la pulsion singulière du moine portier. À genoux, derrière elle, il lui dévore le fondement comme s'il voulait y manger de l'ortie broutée en guise d'épinard ! Là, sa bouche qui sourit témoigne d'une joie. Pour la religieuse, la situation est condamnable mais cependant accaparante. Ô, ce dévergondage de la langue qui l'échauffe et l'enchante. La délectation du simple d'esprit met sa chair en feu et aussi son âme qui s'évapore par des soupirs. Réalisée dans l'enivrante nouveauté pour elle d'un bonheur inédit, la fatale destinée de l'un pèse sur celle de l'autre. Une passion triomphante les emporte jusqu'aux limites de son empire. Tout est sacrifié à ce plaisir sans mélange et sans frein que la morale réprouverait et l'Église dénoncerait comme inspiré par le démon mais ils s'en foutent! Cette honte fera leur orgueil. Elle crisse ainsi qu'une enseigne au bout d'une tringle de fer que le vent balance en hiver. Lui remâche un rauquement qui accompagne ses dents et c'est aussi plaisir que de l'entendre.

Du Petit Moustier, cérémonie terminée, la récente veuve si digne sort en suivant l'abbé et lui parle enfin :

— Pierre le Vénérable qui va, toutes affaires cessantes, repartir après m'avoir remis les restes de ma immortelle amour, j'ose vous demander autre chose. Pour notre fils Astrolabe, abandonné par ses parents et sans doute encore au Pallet, obtenez-lui, je vous prie, une prébende de l'évêque de sa province, de Paris, ou de n'importe quel autre diocèse...

— Je m'efforcerai de lui en faire accorder une dans quelque noble église, promet l'abbé de Cluny, peut-être chanoine à la cathédrale de Nantes. Où est passé mon gros moine ?

Il entrechoque ses paumes pour l'appeler et l'autre difforme le rejoint aussitôt en essuyant ses vastes lèvres brillantes d'un revers de la main. Alors qu'ils vont ensemble vers la charrette, la sœur portière quitte à son tour la cabane à outils.

Dépenaillée, cheveux noirs tombés aux épaules, on dirait un sirop des rues. Tandis qu'elle réinstalle sur son crâne le grand rectangle du tissu de son voile vite tenu par plusieurs épingles, des nonnes tordues par le fou rire font mine de s'inquiéter :

— Ça va, sœur portière ?

— Je suis usée.

— Je vous crois volontiers car sur un sentier ayant connu beaucoup de passage ne repousse point l'herbe.

La préposée aux clés laisse jaser en refermant la grille. Entachée comme une concubine par un moine venu se désaltérer d'elle ainsi que de la goutte qu'on boit sur la route, un feu allumé ne cesse de s'étendre en son âme retournant au silence et c'est un triste dénouement. Furtif plaisir dans son long malheur, que son cœur bat ! Héloïse en est émue, voyant tomber les pleurs de sa fille portière qui devra retourner à la chasteté, à la foi naïve, aux vertus austères bousculées aujourd'hui par un scélérat qui l'aura caressée d'une langue au gai parfum sauvage. L'abbesse, derrière elle, lui glisse sous la guimpe une brune mèche rebelle en chuchotant :

— Sachez que tout bonheur repose sur du sable...

Ces mots d'Héloïse – qui sait de quoi elle parle – frôlent son oreille et cependant l'effraient car elle sent s'effacer lentement la marque d'un long baiser qui lui tourne le cœur et lui brûle encore le cul.

Mains aux barreaux de la grille verrouillée, elle regarde partir la charrette conduite par ce finalement bon garçon dont la fringale rappelle celle du vampire. Héroïque et folle, après l'ouragan subi, elle a pour lui le pardon immense et la peine énorme de savoir qu'elle ne le reverra jamais, elle clouée au Paraclet et l'autre retournant à Cluny. Ça lui promet des quantités de sommes agités du soir à l'aube. Près de cette irritée aux paupières frottées que flagelle la bise, une religieuse jalouse demande :

— Et nous, tout à l'heure, pour le souper, quel sera notre régal, de la langue de bœuf séché ?

Cela dégénère en amusements indécents pendant que, s'éloignant, celui qui fut pris d'un pressant besoin d'une salutaire lessive, fouet au poing, se retourne vers la sœur portière. Monstre débile et jaune, des larmes de plomb coulent le long de ses grosses joues sous les couleurs du couchant reflété par ses yeux globuleux. Dans le bric-à-brac confus de son cerveau taré, il ne quitte plus d'un regard mélancolique celle à qui il fait un signe de la main et à qui il sourit de toutes ses dents encombrées de poils noirs. Tiens, un chagrin d'amour !

— Mêêê !... bêle tout bas la sœur portière.

62.

— Je brûle...

— Hélas, je ne sais plus quoi faire, ma mère, regrette en se penchant une religieuse infirmière vêtue d'un tablier de toile par-dessus sa robe de moniale et qui, d'une serviette de lin, éponge le front tellement enfiévré d'Héloïse couchée dans sa cellule sous une courtepointe dont elle demande, d'un mouvement des doigts, qu'on la lui retire.

— Je brûle comme un charbon...

— Non, l'abbesse, vous brûlez comme une bougie car vous nous éclairez. Vous nous avez toujours éclairées.

À plat dos et en cheveux, la sexagénaire mère supérieure du Paraclet n'est habillée que d'une vaste et très usée chemise d'homme en soie écrue brodée à l'encolure et aux poignets. Elle lui descend presque aux genoux de jambes restées belles.

Autour du lit, dix nonnes, paumes jointes, marmonnent une prière qu'elles interrompent d'un long silence quand la sœur infirmière demande à la moribonde :

— Avez-vous peur ?

— Non, car je suis déjà morte deux fois. La première, c'était il y a plus de quarante années. La deuxième fois, ce fut il y a vingt ans quand on m'a apporté ici le corps d'A...

Elle ne finit pas sa phrase. À travers la petite fenêtre garnie d'une feuille de parchemin huilé ne laissant filtrer que peu de clarté, un rayon sobre et coi glisse en teintes apaisées jusqu'à d'étranges fleurs sur la table de chevet près desquelles la sœur infirmière s'empare d'un miroir d'étain poli qu'elle passe devant les lèvres d'Héloïse. Aucune buée.

Quand à nouveau le miroir s'inonde de vapeur, c'est celle de la bouche de l'infirmière soufflant :

— Elle passe !

La nouvelle est reprise en écho par les dix nonnes quittant la cellule pour s'écrier dans tout le couvent :

— En ce dimanche 16 mai 1163, Héloïse, première abbesse de céans, a passé au même âge que le fondateur du Paraclet ! Qu'elle se repose d'une douloureuse amour !...

Bruits de robes et de chapelets filant d'un édifice à l'autre. Autour de la couche de la défunte, le sol se trouve vite jonché de pétales de rose. La sœur portière, ayant abandonné sa grille, se précipite dans le dortoir :

— Mêêê !... Moi qui voulais lui annoncer que je viens d'apprendre qu'à Paris, sur l'île de la Cité où elle a vécu, l'évêque Maurice de Sully a posé la première pierre d'une nouvelle cathédrale en remplacement de l'église Notre-Dame !...

— Qu'on apporte le ciboire pour le salut ! ordonne la sœur prieure accourue qui se trouve donc maintenant à la tête du Paraclet. Et puis au Petit Moustier, que l'on fasse déplacer la dalle du caveau de son époux !

— Ah bon ? Une abbesse enterrée avec un abbé ?...

— Elle a demandé de retrouver celui qu'elle adorait pour lui-même.

— Il a de la chance. Sans Héloïse, plus tard, il ne resterait rien d'Abélard, prédit l'autre. La laisse-t-on habillée ainsi ou ?...

— C'est sa candeur qui la vêt du plus beau vêtement.

Toutes les orphelines de la décédée s'élancent sans plus de parlotte. Le glas lent d'une cloche se répand. Dans le jardin, un pinson picore sur une branche précaire. À l'intérieur du Petit Moustier, autour du tombeau découvert, des premiers psaumes pour les morts sont prononcés sur un mode mineur alors qu'on mène la dépouille de l'amoureuse pour qu'elle trouve (retrouve !) au fond du trou sa place conjugale.

En chemise d'Abélard, visage tourné vers le bas, et comme planant au-dessus du profond caveau, les quatre sœurs qui la portaient par les épaules et les jambes lâchent son corps. Héloïse, cheveux filant telles des flammes jaunes, chute et fait un plat contre les ossements entourés par les derniers lambeaux de la soutane de son amant étendu sur le dos. Sans doute à cause des irrégularités du sol et de cailloux qui font levier sous les omoplates, poitrine osseuse brutalement compressée par le choc, les bras d'Abélard s'élèvent et leurs os retombent en vrac, se croisant par-dessus le dos d'Héloïse.

Depuis le haut du trou, surgit un cri puissant comme un cor : « C'est le miracle d'Abélard ! » Le prodige du mari, mort il y a vingt ans, qui enlace sa femme fait le tour du couvent.

Les os du philosophe bousculé se sont déplacés, ont bougé. La tête (la tête !) d'un fémur s'est plantée entre les cuisses d'Héloïse et s'y enfonce. Elle qui, scolare, a suffisamment gonflé son précepteur comme quoi elle était plutôt *vagina-a-a-ale*, la voilà servie ! Redevenue épave éparse à tous les flots du vice de son amant complexé, elle le reçoit entièrement. Héloïse, ils en avaient une comme ça, tes jongleurs ?!

Choqué par la scène de ces deux corps trop enchevêtrés, de l'autre côté d'un vitrail d'azur et d'or le soleil rougit mais n'éteint pas sa flamme fantastique.

Du fond du tombeau s'élève une poussière qui sort par la porte ouverte du Petit Moustier et traversera les siècles. Aucune histoire d'amour ne touchera davantage la folie des amants, le cœur des amoureux. Elle se répandra dans toutes les étreintes, deviendra le chant populaire de ceux qui se tiennent par la main, la langue secrète qui se mêle à celles s'enlaçant en des baisers. Elle sera le cri sourd des solitaires, leur rumeur rêveuse qui plane très haut au-dessus d'eux comme de l'espérance.

— Dis, est-ce que tu m'aimeras toujours ?

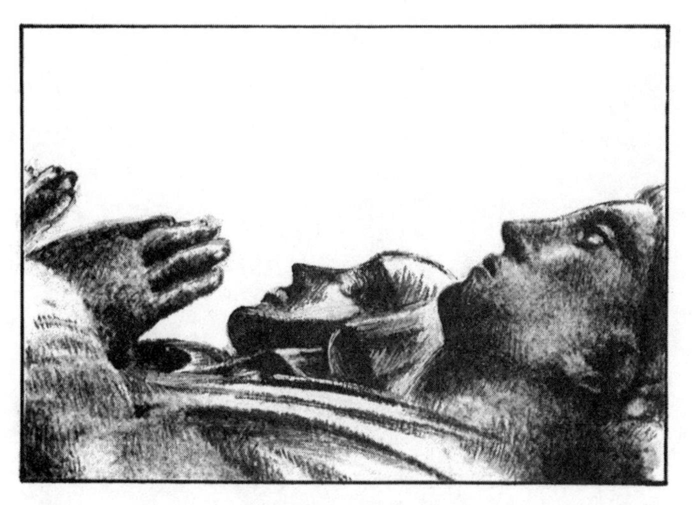

Héloïse et Abélard
maintenant à Paris, au cimetière du
Père Lachaise.

Remerciements pour leur collaboration plus ou moins volontaire à :

Charles de Rémusat, *Abélard* (Librairie philosophique de Ladrange) / Michael Clanchy, *Abélard* (Flammarion) / Régine Pernoud, *Héloïse et Abélard* (Albin Michel) / Jeanne Bourin, *Très Sage Héloïse* (La Table Ronde) / Alphonse de Lamartine, *Héloïse et Abélard* (Phénix Éditions) / Yves Ferroul, traduction, *Héloïse et Abélard, Lettres et vies* (Flammarion) / Octave Gréard, traduction, *Abélard et Héloïse, Correspondance* (Gallimard) / Paul Zumthor, traduction, *Abélard, Lamentations* (Babel) / Roland Oberson, *Abélard, mon frère* (L'Âge d'homme) / Roger Vailland, *Héloïse et Abélard* (Corrêa) / Denis de Rougemont, *L'Amour et l'Occident* (Plon) / Jean-Pierre Leguay, *Farceurs, polissons et paillards au Moyen Âge* (Éditions Jean-Paul Gisserot) / Jacques Le Goff et Nicolas Truong, *Une histoire du corps au Moyen Âge* (Liana Levi, Piccolo) / Jacques Rossiaud, *Sexualités au Moyen Âge* (Éditions Jean-Paul Gisserot) / Florent Véniel, *La Sexualité au Moyen Âge* (Florent Véniel) / Arnaud de La Croix, *L'Érotisme au Moyen Âge* (Texto) / Robert Delort, *La Vie au Moyen Âge* (Edita) / Éric Birlouez, *À la table du Moyen Âge* (Éditions Ouest-France) / Pierre Riché et Jacques Verger, *Maîtres et élèves au Moyen Âge* (Pluriel) / Michel Zink, *Fabliaux érotiques* (Librairie générale française) / Jean Dufournet, *Anthologie de la poésie lyrique française des XIIe et XIIIe siècles* (Gallimard) / Jean Verdon, *Le Moyen Âge. Ombres et lumières* (Perrin) / Fabienne Calvayrac et Marion Vialade, *Les Mots du Moyen Âge* (Éditions du Cabardès) / Sophie, *Les Génitoires d'Abélard* (huile sur toile).

La photocomposition de cet ouvrage
a été réalisée par
GRAPHIC HAINAUT
59410 Anzin

Cet ouvrage a été achevé d'imprimer en février 2015
sur les presses de Normandie Roto Impression s.a.s.
61250 Lonrai (Orne)

N° d'édition : 54281/01 – N° d'impression : 1500505
Dépôt légal : mars 2015

Imprimé en France